ITベンチャーが創造する新世界

ソリッドワークスの初期　日本における成功への軌跡

妹尾　陽三

三省堂書店／創英社

『我なんじの指のわざなる天を観、なんじの設けたまへる月と星をみるに、世人はいかなるものなればこれを聖念にとめたまうや。人の子はいかなるものなればこれを顧みたまうや。只すこしく人を神よりも卑くつくりて、栄と尊きとをこうぶらせ、またこれに手のわざを治めしめ萬物をその足下におきたまへり』

詩編　第8章　4〜7節

文系社長が味わったＩＴ企業文化と、日本産業界新生の未来像

〈コミュニティ〉

創造を希求するベンチャー企業（ＶＢ）と魔性のベンチャー資本家（ＶＣ）を繋ぎ留めおく「隅の首石」

〝家を建てる者の捨てた石、これが隅の首石となった。これは、主のなさったことで、わたしたちの目には不思議に見える。〟

マルコによる福音書　第12章　10・11節

亡き友ビックと、その仲間たちと歩んだ〝新世界〟への旅

今もソリッドワークス・コミュニティに生きる、ビック・レーベンタール（註）の記憶。
このつたない書を、ビックの霊と、その愛妻ダイアン、経済史と思想の基本を授けて頂き、
今や天上に在る故中村勝己教授に献呈する。そして50年を超える長きにわたって筆者の生を
支えてくれた、妻富紗子にこの書を捧げる。

目次

はじめに

〈執筆の意図〉

1．本書は筆者の長い企業人生活を通じて、最も心が通い合い、信頼できた友人と共に、まだ見ぬ『新世界』を求めて新しいビジネスを創り出していく人生の旅の物語である。

当初、わが友ビクター（ビック）レーベンタール（Victor=Vic Leventhal）の突然の逝去に伴い、彼と生前に約束していた『ソリッドワークスの初期日本における成功物語』（"The Success Story of Early Days' SolidWorks in Japan"）の記録を「実現」することであった。

（註）ビック・レーベンタールとは

テキサス大学オースティン校の工学部卒業後ＩＢＭに入社、ボストンで要職を務めた後にＰＣ ＣＡＤのトップ開発業者、オートデスクの最大の販売代理店、カリフォルニア州のＣＡＤソリューションの会長となり、販売網の設立・展開と経営に関する米国有数のエキスパートとして名を馳せていた。あたかもＰＣベースのソリッド・モデラー・ＣＡＤの販売網設立のプロを探していたソリッドワークス（ＳＷＣ）にスカウトされて同社のＣＯＯに就任して、以来ＣＥＯのジョン・ハーシュティックとその後継者ジョン・マッケレーニを販売面から助けた。ＳＷＣは１９９７年にトヨタやボーイングの主力CAD CATIAの開発業者として知られるフランスのダッソー社に吸収され、二人のＣＥＯ経験者は数年間同社の顧問を務めた後クラウドベースでサブスクリプション課金方式のＣＡＤ企業Onshapeを立ち上げ、ＳＷＣの首脳陣のほとんどが参加したが、ビックはその後も顧問あるいはコンサルタントとしてとして同社に留まり続けた。彼と筆者との関係は、後に述べるクスコがＳＷＣの販売代利権を取得した以来、生涯にわたって、公私ともに刎頚之友の関係を保持し続けた。

いざ執筆を始めてみると、単なる出来事の記録だけでは済まないことに気づいた。この手の記述が陥りがちな成功体験の誇示や、私的なセンチメントの回想に終わらせてしまってはビックに対して相すまぬことになるからである。一過性の歴史の環境下に在って、その主役たちと同僚たちはどのような志を以てリーダーシップを発揮し、彼らはどう振舞ったのかを極力客観的に記した上で、その意味を問い、その結果は今日の視点からどう評価されるのかを示すのでなければ、本書を遺す意味はない。これを方法論的に説明するならば、かつてマックス・ウェーバーが述べているように、事実の記述つまり〝因果連関〟と、それが意味する点や、その価値を示す〝意味連関〟は次元の異なる別世界であり、その両者を踏まえて事象を記すことによってこそ人生や歴史の真実の姿に迫ることが可能となる。願わくば多方面の人々の目に触れて、経済や経営の実態理解の参考に供すれば幸いである。

当初は本書を手に取る人はソリッドワークスの関係者のみの心積もりであったが、ＣＡＤ業界、ＩＴ・インターネット業界、さらには産業界一般の興味ある人々にも読んで頂きたいものと、欲が膨らんでいった。たまたま大阪へ出張の折、ニューヨーク大学（ＮＹＵ）経営学修士（ＭＢＡ）で筆者が奉じた会社の大先輩に草稿（First Draft）を見せたところ、『このエッセイは、ＭＢＡコースで将来の産業人を志して学ぶ大学院生たちに、サイドリーダーとして是非とも読ませたい内容だ。現実の事業経営を展開する渦中に在って、生身の経営者が決断する姿が生き生きと記されていて、自分が将来産業界に身を投じた時の姿を想起できる貴重な参考資料になるものと思われる』との、おだてに乗せられて、さらに広い対象の読者層を意識するようになった。これらの人々にも理解して頂くためには、業界用語、コンピュータ・ＩＴ・インターネット用語、経済・経営の用語やその由来などを平易に説明し、場合によっては（註記）を付記する必要も生じてくることとなった。エンジニアでもＩＴ業界人でない筆者が、つけ刃で勉強して果たせるものではないが、かえってそのレベルの人間の視線からする説明の方がそれなりにお役に立てるのかもしれない。

そして、筆者が歩んだＩＴの世界というのは、数学理や基礎理論などの研究（Research）や製品開発（Development）を除いた経営分野、主としてマーケティング・販売、財務・

管理、業務の分野に限ってのことであることをお断りしておきたい。経営にとって肝要な要素である研究開発（R＆）Dについても随所に触れているが、これらはあくまで第三者的見地からする知見からによるものである。

〈歴史の記述者と意味評価者の立場の識別〉

本書は自伝的回顧録ではあるが、「事例」（A）、（B）の記述に際しては1990〜2005年の15年間に焦点を当てて、極力事実に即した客観的歴史記述に努めている。しかしながら、この記述者は経営当事者であって、主観的記憶や想い入れから完全に自由ではありえない。しかも四半世紀後の記憶が正確を欠くことも避けられない。

「事例」（C）の記述の多くは、筆者自身大企業組織の幹部の一翼を担ってはいたが、経営トップの中枢には居らず、遠近の差はあれ社史などの文献・決算書類さらには見聞したことを証にして記述している。第三者を介しての情報が多いだけに、歴史的事実の精度は落ちざるを得ない。それゆえ、たとえ厳しい評価を下した記述であっても、事実の裏付けが弱いままに、意に反して対象者を傷つけているのではないかと密かに恐れている。

しかしながら、事例研究に際しては、経営方針や経営行動の戦略的意図、戦略の展開・収集の評価を避けて通ることは許されず、原理原則の基準を以って事に当たるほかない。それとても自らが経営当事者であったゆえの客観性の保持の難しさは残る。

本書を読むに当たっては、このような筆者の客観的立場を斟酌した上で冷静に講読されることをお願いしたい。

2．本書の構成

本書はＩＴ事業を対象とすると銘打っているが、実際にはその中でも製造業向けエンジニアリング・パッケージソフトウェアとミニコンピュータの開発・販売向けのベンチャー事業（ＶＢ）とベンチャー資本（ＶＣ）の実態と歴史的展開とその解明を目的とするものであり、具体的には「事例研究」(A)(B)(C)で述べてある。

ＩＴ技術や業界の慣行に必ずしも明るくない読者にとって、いきなり専門的なＩＴのニッチな分野に分け入るのはハードルが高いことを考慮して、「事例」が展開するに至った、政治・経済・社会的背景や、コンピュータ・ソフトウェア産業の発展過程、ＶＢやＶＣという特異な世界に馴染の薄い読者に向けて、簡単な説明をやさしくほどこしておいた。また、この世界はとりわけ米国特有の社会の中で生じ、発展してきた産業であるという特徴を持つがゆえに、その産業文化の特性についても若干の解説を施してある。その意味で〈序論〉は本論である第一章~第四章の、いわば導入部（イントロ）の役割を果たしている部分といえる。

したがって、読者の興味のあり方に従って、本書の文化・歴史的背景も含めた全体像に興味のある方は、〈序論〉から順次読んでいかれればよいし、逆にベンチャーやＩＴ否ＣＡＤ／ＣＡＭ／ＰＬＭなどの「個別産業論」に興味がある方は、第一章あるいは第二章を先に読んで、さらにその所以や背景にも興味が生じたならば、〈序論〉に返って読み続けられる方が良い。第五章は、日本の産業、社会とりわけ日本人の生き方の基本について、筆者なりの問題を提起しているので、いずれのアプローチで読み進まれるにせよ、是非ご一読を賜りたい。そして、活発な議論が喚起されることを願っている。

第六章は本論とは別の性格を持つエピソード集で、いわばエピローグとして記したものだが、本論を別の側面から補う意味もあって、第六章として独立の章とした。

〈おわりに〉は本論を書き終えた後になって、言い残したこと、行論の特別な背景や事情、さらには当事者として筆者が実践に従事しているときには想いが及ばなかった〝意味〟や〝意義〟さらには事象の間の〝相互に連関する位置づけ〟さらには本書全体の構成について解説した、いわば〝解題〟の役割を果たしている。あまりに多方面にわたる記述や論評に戸惑われた読者の方々にも、是非ともここまでお読み頂く忍耐力を乞うのみである。

筆者の『新世界』〝The New World〟(註)との邂逅とコンピュータの世界へのアプローチの方法論

『旧世界』〝The Old World〟の世界にどっぷり浸って生きていた筆者が、『新世界』に突如として、おずおずと第一歩を踏み入れる羽目に陥ることになったのは、忘れもしない1989年8月の驚愕の人事異動通知によってであった。この辞令はコンピュータのしかも当時はいまだ珍しかったソフトウェアの米国のベンチャー企業との合弁事業経営という、筆者の経歴からは無縁の世界であった。当初は大企業の定期異動ゆえ、数年経てば本社部門か事業部にまた転勤になるものとタカをくくっていたのが、思いもかけず以来30数年間の長きにわたって経営体・企業の居場所は変わりながらも、停年退職後の今日に至るまで、未だこの世界に関わり続ける結果になっている。

(註) 類似の用語として同時代に米国に登場したものとして、〝New Economy〟がある。日米の経済・産業

界の歴史の転換点を示すものとして、1990年代を表現した言葉である。実態に大きな差はないが、本書の捉える領域はより広く、精神や文化、政治や社会などの歴史的展開をも含んでいるので、本書では『新世界』〝New World〟を採用することにする。

『新世界』〝New World〟と『旧世界』〝Old World〟と落差が大きく異質な別世界を分別する言葉を一応並べてみたが、これは世にいう現世と来世などのように異なる思想・哲学・理念で営まれる世界、ということではないが、二つの世界で使われる言語や行動原理が全く異なるのである。ちょうど筆者がニューヨーク駐在に帯同した当時4歳に満たない息子が見た世界―不思議な景色の中で〝得体のしれぬ人たちに囲まれて、まるで理解不能な言葉に応答不能で困り果てている自分〟のように、住む世界とそこで使われる言語、行動様式が、まったく「理解不能」な世界なのである。

産業構造を例に挙げるなら、ひと昔前に流行った重厚長大と軽薄短小、電気と電子、電導と無線、アナログとデジタル、ハードウェアとソフトウェア、現実実装世界と仮想現実世界など、われわれを取り巻く世界・環境が以前とは異なった次元で認識されていて、人間・社会が営む手段も、ＩＴがもたらした成果物の存在なくしては成り立たなくなってしまっているのである。

これらの技術は高度な数学・物理・化学・生物・コンピュータ科学などに細分化されており、社会科学を修めた者にとっては理解の埒外にあり、生半可な知識で経営者が事業に介入するのは却って専門性を踏みにじる弊害の恐れが多いと判断して、むしろ人事経営管理に徹して技術、マーケティングの専門家集団を主体とする自由・闊達な運営を旨とした。そして、この方針は後述のように、それなりの功を奏した。

大企業で育った者の業として、筆者は組織運営というものは文科系部門と理科系部門、総合部門と専門部門が自律的に活動しながら、分業と協業をなすのが要諦と心得ていた。

さはさりながら、エンジニアリング・ソフトウェアを取扱商品とする企業の経営者としては、コンピュータのような先端技術はさておき、最低限自然科学とその応用である工学（エンジニアリング）の本質は押さえておく必要があった。手掛かりとなるのは、学生時代にかじった社会科学、中でも比較的集中して学んだマックス・ウェーバーの方法論であった。彼は社会科学の客観性は、自然科学のように「自然界にある法則性」を見出すのではなく、研究者がその「価値意識」に照らして必要と判断する情報を整序することによって出来上がっていく、と断じていた（『社会科学方法論』）。然らば自然科学の領域においては、研究者の価値意識による主観は一切排除されるものなのか、というのが根本的疑問であった。

高校までは理数系もそれなりに理解出来ていた筆者も、大学になるとその才能のなさを自覚せざるを得ず、西洋社会経済史を修めた者としては、その糸口を科学史に求めざるを得ず、村上陽一郎教授の市民講座を受講しその著書を紐解いた。そこで分かったことは、ニュートンやケプラーそしてコペルニクスの時代に至るまでも、彼らは神学者でもあったという事実である。彼らが求めてやまなかったのは、〝全能の創造主が創り給うた地上や宇宙など被造物の在りよう、すなわち神の摂理の解明作業の結果が古典力学の法則なのであり、当時は神学と物理学は同居していたのである。村上はそのような科学観は時代が下るとともに世俗化の波をかぶって、両者は分化し独立した文化領域として自立することとなったと解説している。その手始めにデカルトによる哲学で、彼は『方法序説』において思考するという人間の本質（Cogito）を裏付けるものとしての神の存在を定義している（永遠真理創造説）。

次にスピノザが『エチカ』で人と世界と神の関係を、〝神を「万物の物事に内在する原因」と呼び「存在するものは全て神の内に在る」〟（汎神論）と定義している（補説は省略）。哲学に次ぐ世俗の文化領域たる政治学例えば、ホッブス、ヒューム、ロックについては省略しておく。

アインシュタインの相対性原理、非ユークリッド力学、量子力学が常識となった現代世界ではこのような発想は無意味になったのかというと、そうではないらしい。事実世に知られる、少なくとも欧米の著名な学者の多くが、これを真理すなわち神の摂理と信じてその学理を展開している事実を、日本人は心得ておかねばならない。

（註）三田一郎『科学者はなぜ神を信じるのか　コペルニクスからホーキングまで』（講談社　2018年）

この根本的問いかけにより平易に応えてくれる本が最近出版されている。参考文献に挙げている村山仁の『宇宙はなぜ美しいのか』にも記されているのだが、「美しさ」の根源に宇宙や地球物理学で観測される現象とそれを表示する物理学の数学式は、全てシンメトリーでかつ単純な姿であらわされている。これは〝誰かの〟意図が働いているのではないか？　という根源的な問いを米国在住の日系米国人で〝ひもの理論〟の提唱者の一人ミチオ・カクは近著『神の方程式』で平易に説明している。彼は著書の中で、ニュートンの古典力学、ファラデーからマックスウェルによる電磁場・振動波、さらにアインシュタインによる相対性理論、これに続く量子力学の全てにわたる宇宙に整合性があり、これが〝何者かの意図によって創造・運用されているのではないか？〟という問題意識を呈している。アインシュタインによる「人格神の否定」と、尚信じるに足る「スピノザ的神の実在」を引き合いに出しつつ、創造者としての神の実像に迫っていく解説は、邦人学者には見られぬ欧米文化の中で育った者ならでの、哲学的を超えて神学上の真理への正面からする対面の姿勢が窺える。これ以上の論考は本書の則を超えると思われるので、読者の判断に委ねたい。

世界観としてのコンピュータ・ソフトウェア技術

実はこの世界観、人間観の根本的差異が欧米生まれの科学技術と日本の発想やアプローチを峻別している。このような観方に対してほとんどの日本人は、欧米諸国も世俗化が進んで、多くの人々はもはや教会に行かないし、文献を読んでも人々と話していても宗教や神のことに触れることはないと、その視座を否定する向きが多く、欧米人自身がその見解を取ることも多い。（しかし、彼ら「無神論者」も「神の存在」を否定することによっているので、まったくの無神論者ではない点に注意）筆者の高名な師はかつて述べた。〝書物を読んでも肝心の事は書かれていない。彼らにとって当たり前のことは書く必要がないから。外国人たる私たちが学ばなければならないのは、書かれていない〟最も大切な〝隠されたる真実或いは社会で共有されている思想の大前提なのだ〟、と（註）。

（註）その一例として普通の市民、例えばエンジニアの華である宇宙飛行士の実例を示そう。現在打ち上げ待機中のNASA月探査計画〝アルテミス〟から半世紀を遡る1968年12月24日、アポロ8号で月の軌道到達に成功したフランク・ボーマン船長以下三人の宇宙飛行士は、月を周回中に手分けして旧約聖書の宇宙（天地）創造の記事『創世記第一章1～10節』を朗読した。

翌1969年7月20日アポロ11号の月着陸船イーグル（Eagle）からアームストロング船長に続いて月面に着地・上陸したバズ・オールドリン（Aldrin）は、そこで聖餐式を行った。、その際、本書冒頭の扉に記してある『詩編第八章4、5節（英語版では3、4節）』を朗読した。この最高レベルの技術者による歴史的逸話は、少なくとも米国と欧州（ローマ法王が祝福）では、最も感激的な国民的精神遺産として今日もなお共有されているが、筆者の知る限り、知識人をも含む我が国の人口にあまり膾炙するところではない。

これはIT の創造、とりわけソフトウェアの開発において筆者がよく目にする事実なのである。彼らにはソフトウェアの作成に際して、意識すると否とにかかわらず、神の創造した世界を追体験している、との明白な自覚が有る。それゆえに製作物の中にバグが有ったり、アルゴリズムが複雑に過ぎたりするとき、直感的に〝これは神の創造物とは違う〟、と断じてその〝究極の学理　あるいは数学式が得られるまで追及の手を緩めない〟。一方神なき人々は、往々にしてその場しのぎのバグ修正（work around）でひとまず正解が得られれば良しとしがちである。そのようなつけ刃の虚偽はバージョンアップの時などに露見、バグが再生してシステム障害を発生させることになる。大銀行の度重なるシステムダウン、政府が繰り返すシステム障害の数々を見るにつけ、上記の絶対的な差異との関連に思いが及ぶ。筆者が再販するベンチャーIT 商品が欧米生まれであるのは、実は創造を生み出す人間の信条とライフスタイルに日本人と根本的に異なるものを観ているからなのである。

筆者の基本理解はこの段階からさらに歩を進めることなく、その経営姿勢は進歩することはなかった。今日筆者が携わって来たIT 事業の黎明期の事業経営を顧みて、その評価や反省を試みるとき、後段の価値観はさておき、事業の内容の本質をなすコンピュータ及びコンピュータ・サイエンスの本質、は理解しておくべきであったと反省している。

最近になって、『フォン・ノイマンの哲学』（高橋昌一郎）とりわけ『コンピューティング史』（Martin Campbell-Kelly 他）を紐解くにつけ、ＩＴ企業経営当事者であった時に、その基礎知識を会得しておくべきであったと、悔やんでいる。

〈製品の価値とその創造過程をめぐって〉

ソフトウェアという〝目には定かに見えぬ世界は〟、ハードウェアと異なり、「製品」を作り出す「価値創造」（「生産価値」）の過程、すなわち製造過程を除いた世界である。（モノづくりにおける製造プロセスは目下存在しないと言っていい。）その概念規定と実態については後述する。

「製品」の価値は、それが市場において販売されて初めて測られる。（「市場価値」あるいは「使用価値」）

研究開発とマーケティング・販売が、緊密に連携しながら企業展開を図っていくのがソフトウェア事業の特徴であり、いわばコインの表と裏の関係にも似ている。経済学の分野では、この〝価値〟の定義とその由来について古来様々な論争が繰り返されてきているが、ここでは触れないでおく。古典派経済学に在っては、価値は製造過程における労働によって付加されるとされているが（〝労働価値説〟）、筆者の長年の企業活動を通じた経験からすると、マーケティング・販売過程にあっても大いなる付加価値が創造されているとの実感があり、それは以下の過程で明らかにされるであろう。

次に、ソリッドワークス（SolidWorks）「物語」を記すに当たっては、その「前座」としてのラズナ（RASNA）とこれを取り巻く、『旧世界』（〝The Old World〟）の典型としてのクボタ、対岸にある米国本社の経営事情、そして彼らが正に向かわんとしていた『新世界』〝The New World ＝ Challenging World〟の中身と意味について触れないわけにはいかない。そこには外ならぬ筆者自身が『旧世界』の申し子として、この航路（Journey）に投げ込まれた初体験の時の驚きと学びのエッセンスが如実に現れているからである。筆者が対岸の世界の本質を『旧世界』の中枢の人よりも多少なりともよく理解できていたとしたら、それは70年代半ばから80年代初頭までのニューヨークに駐在して、生身の米国のビジネスの在り様と人々の実社会での生活の実態に直かに触れていたこと、そして何よりも学生時代以来企業人生を通しても学び続けてきた、欧米社会と文化に関するそれなりの造詣の賜物といえよう。

事実筆者が見ず知らずのコンピュータ関連業界にいきなり、小なりといえども〝ほやほやの〟経営者として引き込まれて以来、身辺に起こったことどもは全て目新しく、当初は戸惑うことばかりであった。それ以来30年、業界の技術・市場の変化は激しく、その発展に伴い呼び名もコンピュータ、IT、IOT、DXなどと変遷してきた。

「事例研究」(Case Study)(A)としてのラズナの世界は旧世界、それもつい昨日まで発展途上国相手に、〝旧来技術〟を駆使してのビッグプロジェクトの提案、日本政府や国際金融機関の開発援助資金を斡旋して低所得住民たちの福利の提供を志しながらも、いざ受注の段階になると政治家や高官から「袖の下」の要求が出て来るような世界に生きていた者にとって、コンピュータ・ITの世界は技術に於いて〝先端かつクリーンな〟「近代ビジネス社会の権化」に映った。何よりもそこに生きる人々の学識とビジネスに際しての〝合理的かつ〝紳士的〟振舞いは、そう判断させるに足るものであった。少なくとも事業展開の初期の段階においては、である。

「前座」とは言いながら、そこには「本題」のソリッドワークスの本質と同じ構造があり、それを超えて発展していくITの世界の萌芽が既に存在していた。しかし、この「前座」は「本番」の「近代的禁欲資本主義」に酷似しながら、それとは微妙にして決定的に異なる、似て非なる「前近代的欲望資本主義」の一面が多分に共存しており、慧眼なる読者にはその本性の違いを文脈から嗅ぎ分けて頂ければ幸いである。

コンピュータとソフトウェア事業発展の易しい入門〈コンピュータの歴史〉

本書の初稿を筆者とごく近しいＩＴ事業、「事例」関係者、報道、企業技術者などに意見を求めたところ、ＩＴ業界以外の方から、ソフトウェア事業とそれを取り巻くコンピュータ業界の概略説明と、発展過程における相互の関係の解説が欲しい、という助言があった。

本書の記述と分析の対象となっているコンピュータ及びソフトウェア産業について、本書とのかかわりを中心に簡単に説明しておこう。この分野は筆者が勤務していた会社の異動によってたまたま接した世界であって、当時から最近に至るまでその本質や歴史については、実務から学ぶ以外はその実態がつかめず、まるで別の世界〝The New World〟をはるかに対岸から眺める感があった。この世界に生きる人々以外の一般の産業人にとっても、その感じ方は似たり寄ったりであろう。コンピュータの原理は多少理解できたとしても、ソフトウェアについては皆目分からず、〝何やら怪しげな世界〟という捉え方が一般的である。

本誌はそのような世界を対象に記述・分析するのであるから、一般の理解の一助として以下にその概略を記しておく。筆者は従来の経験とは異質な『新世界』を探るべく業界に関わると否とを問わず、幾多の書物を紐解いたが、(巻末の参考文献リストはその一部)今回の記述で導きの糸としたのは、次の二書である。

マーティン・キャンベル他著『コンピューティング史』共立出版　2021年原著第3版

マイケルA・クスマノ著『ソフトウェア企業の競争戦略』ダイヤモンド社　2004年第一刷

いずれも名著として知られているが、このような概括的理解をものにせずして経営の任に当たったのは、今から思えば恥ずかしい限りである。反面、〝生兵法は怪我の元〟の例えにあるように、素人が少々専門外のことを書物で学んでこれを実践に移しても、却って逆効果になったかもしれない。(後述するWIZKIDS(註)の例)

(註)ＷＩＺＫＩＤＳ

このキーワードは文中で何度も登場するが、これはニューヨークタイムズのベトナム戦争従軍記者だったハルバースタムの名著〝The Best and the Brightest〟に続く、〝THE RECKONING〟(邦訳:『覇者の驕り』新潮社　1990年)から流用したものである。〝とてつもない秀才だが世間の常識や現場経験のないバランス感覚を欠くいびつな人間の集団〟を指し、彼らが指導する多くの場面で事業や国家が混乱に陥り、悲劇的結果に終わることになる。ハルバースタムはベトナム戦争の現場を取材しており、国防長官のマクナマラとワシントンの図抜けた秀才の幕僚たちによる統計学的論理偏重による戦争指導戦略実施の結果、前線は虚偽の報告をする結果となり、実態とかけ離れた状況把握をベースにおいた戦争遂行が、ますます戦況を悪化させていく有様を克明に報道した。長官の成功体験は第二次世界大戦中に連合国海軍の軍艦や商船が、ドイツ海軍の解読不能な暗号（エニグマ）によって神出鬼没で現れる潜水艦Uボートの攻撃に晒されて受けていた甚大な被害を避けるために開発された、線形計画法（オペレーションズ・リサーチ＝OR）という統計学の応用理論であった。（エニグマは実は英国情報部で密かに解読されていたが、国家の最上層部のみが知り得た国家機密で、戦後半世紀経ってからその実態が公表されて、その中心にいた数学者がアラン・チューリングであった。アランは解読の道具として後日のコンピュータ〝クリストファー〟を開発しており、その後の開発は戦後チャーチルから米国に譲渡された）この手法を開発したマクナマラをはじめとする若手の学者たちは、戦後その方法を援用して、経営難に陥っていた会社の再建に大いに貢献した。彼は国防長官就任の直前まで、経営危機に陥っていたフォード自動車の再建を委ねられてCEOの座にあり、ORを駆使してその任に当たっていたが、再建は必ずしも成功していたわけではない。彼らのことを揶揄して社員は〝WIZKIDS〟と呼んだのである。クボタのコンピュータ事業を主導した、極少数の若手幹部社員・中間管理職のことを本書ではこの綽名に擬して用いている。

以上彼らの評価を専らハルバースタムの一連の著作の比喩に拠ったため厳しいものとならざるを得なかったが、その中心人物であるマクナマラはその並外れた頭脳ゆえに揶揄されることが多いが、その半面彼の人類に対する偉大な貢献についても触れておかないわけにはいかない。

彼が優れてヒューマニストであったことは広く人の知るところで、第二次世界大戦時代に海軍で無辜の市民を巻き添えにする無差別爆撃を主張する上官に、彼は強く反対した。戦後のキューバ危機の際彼は国防長官であったが、かつての上官の提督が唱える先制攻撃の強硬論を抑えて、世界を核戦争から回避して平和解決に貢献した。まさに人類を核戦争から救出するに偉大な貢献を果たした恩人でもあるのである。

クボタのWIZKIDSにも、そのような敗者復活の機会が与えられて然るべきでは無かっただろうか?

1．コンピュータの登場とメインフレームへの道

コンピュータといって一般に頭に浮かぶのはＩＢＭでありその代表機種である、System/360である。筆者の入社間なし１９６０～１９７０年代の情報システム（ＭＩＳ）の代名詞といえばIBM System/360であった。膨大な量のパンチカードを（多くの女性の）キーパンチャーがひたすらインプットして、FORTRANやCobolを言語として、膨大な量の紙にアウトプット（プリントアウト）していた（パンチカード作票システム）。その後が大変で、現業部門はそのアウトプットと原始帳票とを突き合わせてチェックするという膨大な作業が待っていた。

ＭＩＳとは文字通り、経営判断を助ける目的として開発されたシステムであったのだが、現実には、膨大な資料の収集と記録の処理で終わってしまい、その目指した「合理的経営判断」の助けとなることはなかった。

この基本原理は広く知られている通り、１９４５年にジョン・フォン・ノイマンの報告書に基づいている。実はここに至るまでのコンピュータの発達史は、専ら国勢調査や保険契約書、財務・会計処理、天気予報など、大量の事務処理をこなす事務処理機械であった。実態は加算器、タイプライターの延長線上にあり、各々の分野の専業メーカーが競っていた。

これに革命をもたらしたのが、第二次世界大戦による軍事技術への適用という国家的使命であって、政府の強力なバックアップによる大学と企業による巨大な科学技計算技術開発の結果であった。その内容は、コンピュータの作業を指示するプログラムを内蔵するというコンセプトであった。この革新的コンセプトの成果物はENIACとEDVACであり前述のフォン・ノイマンとプレスバー・エッカートの功績によっている。「計算機の記憶装置（メモリー後にストーレッジ）が、プログラムの命令と、それが処理する数字の両方を保持するのに用いられる。」という構造を持つに至ったのである。（『コンピューティング史』共立出版 p89）

従来の科学技術計算は、大砲の軌道計算などが主流であったのが、戦時になると原子爆弾の開発、暗号解読、潜水艦の行動解析など、1000名単位の開発技術者を糾合する巨大プロジェクトとなった。あいにくその成果は原子爆弾を除いて、その多くは戦場で実用化されるまでには至らなかったが、現実の成果は60年代に至り、科学技術分野はもとより、広く事務処理の分野に適用されてコンピュータがオフィスの主役になるに至って、これがメインフレームによるＩＢＭ王国を築く道筋を導くこととなった。

コンピュータの発展に欠かせないのは、それに指令を与えて操作するソフトウェアである。周知のとおりコンピュータの操作は2進法のバイナリーコードで書かれているが（ルーチン）、これを補完する数学式や指令で補われている。（サブルーチン・ライブラリー）操作の指示は二段階の翻訳作業によって行われている。まず、アルゴリズムによって機械手順に置き換えられ、これをコンピュータが実行できる特別な指示に変換していく。第一段階の最初のツールはフローチャート（プロセスの可視化ツール）で、第二段階は磁気テープとドラムによるメモリーがコンピュータに実装されていく仕組みだ。（『コンピューティング史』共立出版 p193、2021年）このプロセスは後日自動化・集合化（コンパイラ）されていくが、その作業は難解かつ専門性が高く、50年代には事業特性に合ったソフトウェア請負専門業者が誕生していくことになる。RANDやCDCなどである。

こうして60年代後半から70年代初めまでにはデータ処理用のビジネス用コンピュータはかなりの広がりを見せ、IBM以外にも6社を数える集中処理型のメインフレーム製造会社が覇を競っていた。

2.〝新しいコンピュータの流れ〟の幕開け

70年代初頭にはインテルのマイクロプロセッサーが開発されて、PC時代の幕開けとなる。しかし、PC時代はメインフレームから直接到来したのではない。その中間に〝もう一つのコンピューティング〃の文脈があった。PCの発生はメインフレームとは関係なく、タイムシェアリング、ミニコンピューティング、コンピュータ言語のBASIC, Unix, 新しいマイクロソフト機器などに関わって生まれてきたものである。(前掲書 p228) 後述する1965〜1975年にかけて集積回路が導入され、コンピュータ性能のコストが1／100になったお陰で小型の組織内タイムシェアリングシステムが、大学・研究所や企業で一般化した。この中からMITと東海岸のマイクロエレクトロニクス産業で生まれてきたのが、DECによって開発されたミニコンピュータである。DECは自らデジタル回路基板を開発して、研究開発や工場の自動化、医療用スキャナーなどの用途にパーソナル使用が可能なコンピュータを開発し、最終価格は当時数億ドルしたメインフレームの1／10以下で販売して事業の成功を収めた。直後にデータゼネラル（DG）プライムコンピュータ、HP、ハネウェルなどが続いた。

後述するクボタのコンピュータ事業への参入は、当事者の自覚の有無に関わらず、この流れに沿ったものであったといえる。事実同社が投資したアーデントのゴードン・ベルとステラのビル・ポダスカはいずれもMIT／DEC開発の中核を担った人材であった。

この〝新しい流れ〟はＰＣへと移行する過程で、いわば触媒の役割を果たしていったのであるが、実は前掲書がほとんど記述していない見逃せない時代の史実がある。それはミニコンがワークステーション（ＷＳ、技術系はＥＷＳ）へと移行した過程である。その特徴は、運用ソフト（ＯＳ）にUnix, Linuxを使用し、（Ｅ）ＷＳ同士をネットワークで繋いでデータ容量を融通しあい、処理能力を高めたものである。マイクロ・プロセッサのＭＰＵの急拡大とグラフィック機能の急速な発達によって、よほどの大処理容量を要する以外の部署単位での情報処理は、その処理の種類に応じて分散環境下で分散処理するのが主流となっていった。

１９８２年にスタンフォード大学の出身者によって西海岸のシリコンバレーに設立されたサンマイクロ・システムズ（ＳＵＮ）はUnixをＯＳとするネットワークによる使い勝手の良いＥＷＳであったが、そのＯＥＭ戦略のヒットと相俟って瞬く間に急成長し、90年代には業界を席巻した。若い創業者たちは開発間なしのころ、ＤＥＣへの会社の売却を打診したところＣＥＯのケン・オルセンは〝コンピュータはそれなりの技術知識を持った専門家にこそ相応しいもので、こんなものはその名に値しない〟と言って断ったという。（〝Ultimate Entrepreneur〟）一世を風靡したＳＵＮも、ＣＰＵ開発の躓きとソフトへの急傾斜によって業績が悪化して、2009年にオラクルに買収されてその幕を閉じることになる。

EWS時代の到来という市場の変化を予測できず、SUNの価値も見抜けなかったDECはといえば、その転換期においてやはりCPUの開発遅れとOSの方向性を見誤った結果、業績が悪化して1998年には何と興隆するPCメーカー、コンパックに買収されてしまったのである。後日談として、そのコンパックは2002年にハイエンドのEWSメーカーとして知られるHPに吸収合併されてしまうのである。かくしてHPはハイエンドのPCからUnixに至るまでの総合コンピュータメーカーとなった。この会社は、スタンフォード大学の教授だったヒューレッドとパッカードによって、当初は計測器メーカーとして設立され、EWSベンダーへと発展した技術志向の起業であり、従業員を大切にすることで知られていた。(〝HP Way〟)横河電機との合弁による日本法人、横河ヒューレッド・パッカード(YHP)は横河の社風ともマッチして、日米双方の長所を生かした理想的な企業として知られていた。2002年のコンパック合併に際しては創業家であるヒューレッド家とパッカード家は反対の態度をとり、持ち株も放出したと聞く。日本法人もHPの完全持ち株会社となり、PC事業が経営の主役となるに及んで、かつての社風は過去のものになってしまったと伝え聞く。

今一社、特異なEWSメーカーとして知られるのは、スタンフォード大学のジム・クラーク教授が起業したシリコングラフィックス（SGI）である。グラフィックスに特化したミニコン開発を施行し、クボタが投資したアーデント（のち合併してスターデント）と競合するが、グラフィックスの速度とコストパフォーマンスに勝る相手に対抗してとった戦略は、グラフィックス・インターフェース〝Open-GL〟の公開と、周辺パッケージソフトとの結合によるソリューション強化であった。スターデントはこの流れに乗り切れず、競合に敗れて姿を消すことになる。Open-GLが業界の de facto 標準となったSGIであったが、スーパーコンピュータ、クレイを吸収合併して高級化路線を選択した結果、その後安価な製品との競合に敗れて破産し、果てはHPに吸収されて業界から消え去った。

同社はEWSメーカーへの転換を加速すべくクボタの投資先MIPSコンピュータを買収したが、生き残りを果たせなかった。クボタはEWS時代へのヘッジはしていたのだが、全盛時代のSGI株のキャピタルゲインを得るにとどまった。束の間であったがスターデントもその輪の中のプレーヤーの一員であったことは記憶されてよい。

スターデント、とりわけクボタコンピュータの当時を垣間見た筆者は、社員が昼夜を分かたず、週末もいとわず働きまくるエネルギーに圧倒された記憶がある。当時如何にミニコンピュータが時代の幕開けを担う新テクノロジーとして期待されていたかを物語る時代の証言である。

その後（E）WSの名が聞かれなくなっていったのは、ハードウェアの分類が、PC、WSではなく、そのOSによることになっていったからである。EWSはしばしばハイエンドPCなどと呼ばれていくようになったのである。（あまり正確な表現ではないが）この間の経緯を詳細に述べたのは、このわずかな期間に生じた技術革新と、ユーザーの需要の変化が、以下に事例で掲げているプラットフォームやOSの選定戦略をめぐって、RASNAとSWCというVBの経営の成否を左右した大きな要素となったからである。

〝PCへの道〟を決定づけたのは、サンフランシスコ郊外でのシリコンウェーハーによる集積回路の大量生産とそのMPUパワーの継続的かつ飛躍的な向上である。インテル（Integrated Electronics）の共同創立者であるゴードン・ムーアはそれが18か月で倍増し10年くらいは持続する、と予測した（「ムーアの法則」）。このICチップがPCに搭載、ゲームソフトにも採用され、安価で高性能なコンピュータの大量普及の起爆剤となっていくことになる。このPCの多業種、多用途への急激な展開に合わせて、パッケージソフトウェア、デバイスなどの起業（ベンチャー）（ＶＢ）が相次ぐことになり、これを資金面から支えたのがベンチャー・キャピタル（ＶＣ）であった。彼らの多くは時代を先取りする新技術の開発構想には事欠かなったが、企業からスピン・オフしたての若者や、学生・大学院生などで事業化のための資金力に乏しく、銀行借り入れの信用力もなかったからである。ＶＣは銀行の系列企業（機関投資家）もあったが、当時の主力は地場の事業成功者などの小金持ちやベンチャーの成功によって大金を手にした成金たちが形成したファンドで、ハイリスク・ハイリターンのベンチャーに分散投資する人々であった。一般の金融機関と異なるのは、ファンドのメンバーの多くがベンチャー事業経営の成功経験者であり、事業が困難に直面したり、本格拡大した局面で専門家や経営者を送り込み、その成功を助ける経験と能力を有していたことである（このような経営人材資源をもたない日本ではその必要性が叫ばれながら、まともなＶＣが育たない理由と筆者は見ている）。

３．ＰＣの時代

ＰＣの急速な進化はマイクロ・プロセッサの急速な進歩と切り離せないが、これは70年代初頭のポスト・ビートルズやポスト・ベトナム戦争世代の若者たちの閉塞感からする反体制文化が影を落としている。大企業が独占している報道・宣伝の手段を、若者たちの自由を求めるライフスタイルを通じて、社会に対して自己表現をしたい、という思いに繋がっていたのである。ＩＢＭのパンチカードやメインフレームに管理された社会に対する〝新しい共同体〟を創ることに関心を寄せており、コンピュータという新技術を使って、人間の幸せや自由を手に入れようとしていた。このような動きはニューコミュナリスト（「新共同体主義者」）と呼ばれていた。後述するＳＷＣの創立者が会社の理念として唱えた〝Community〟が、その影響下にあるか否かは筆者のあずかり知らぬところである。しかし、この流れは消えることなく、〝コンピュータやソフトウェアの民主化〟の波へと連綿として引き継がれて今日に至っている。

１９８０年代になると、グラフィカル・ユーザー・インターフェース（ＧＵＩ）の進化によって使い勝手が良くなり、またCD-ROMディスクに本と同様の情報量が書き込めるようになり、さらにはコンピュータ・ネットワークが登場してＥメールが一般化することによって、90年代にはＰＣは真の情報機器になったのである。（前掲書 p２８９）

この過程を可能にしたのは二人の革命的創業者であった。１９７９年マッキントッシュ（Ｍａｃ）のスティーブ・ジョブズと１９８５年にVer1を発表されたウィンドウズの開発者、マイクロソフトのビル・ゲイツである。Ｍａｃは後年、通信・音声を含む多目的スマートフォン、アップル（コンピュータ）として爆発的売り上げとともに人々の生活習慣を転換させ（パラダイムシフト）、ウィンドウズは95年に至りExcel, Wordなどのアプリケーションを搭載してＰＣのＯＳを支配することになる。

このウィンドウズ95と3Ｄソリッドモデラー ＣＡＤの相乗効果によって大成功を収めたベンチャー（ＶＢ）こそが本誌で事例紹介するソリッドワークス（SolidWorks）なのである。ＰＣをめぐる発展はインターネットの普及が始まって以来、留まるところを知らぬ勢いがあり、その関連技術も数知れぬが、その世界は本書の対象年代を超えるので、ここでひとまず筆をおくことにする。

本書が対象とする１９９０～２００５年は、奇しくもコンピュータの世界が、メインフレームやワークステーションの時代から、ＰＣの時代へと急速に変化していったパラダイム。シフトの時代に当たっている。

同様な革命は、ソフトウェアの世界でもエンジニアリングの部門、ＣＡＤ／ＣＡＭ／ＣＡＥの分野を皮切りに生じていた。これを支える、ウィンドウズ、インターネット、そして半導体の急激な発展と普及という、まさに〝１００年に一度の歴史的発展〟の経緯、それこそが本書が伝えたかった「革命」の姿なのである。

ソフトウェア事業の特質とその歴史

初めにソフトウェア事業が日本の得意とするモノづくり＝ハードウェア事業と根本的に異なる成り立ちであることについて触れておく。筆者が自動車トップメーカーのソフトウェア会社の顧問の頃、本社出身の社長の次の言葉が忘れられない。〝ソフトウェア産業の品質管理は、自動車に比べて10年以上遅れている。出荷後にこんなにもたくさんのバグが見つかるのはクルマ作りでは考えられない！〟その時筆者はこう言いたかったのである。〝テクノロジーが急激に発展する現代にあっては、多少のバグは有ってもよいから、新技術を一刻も早く採用して、製品の早期開発や現場の効率化に役立てたい、少々のバグは避けて通る道もあるし（work around）後日フィックスしてもらって差し支えない。という顧客の要望がそうさせているのだ。〟

ところがクスマノの本（マイケルA・クスマノ著『ソフトウェア企業の競争戦略』ダイヤモンド社 pp. 20～36 ２００４年）には、よりソフトウェア経営の革新を衝くことが書いてある。〝メインストリーム市場を開拓するには、「製品中心主義」（高性能の製品、使いやすさ、最高に洗練されたアーキテクチャ、低価格、独自の機能性）から、「市場中心主義」（強力な顧客基盤、外部メーカーによる支援、事実上の業界標準になること、最小の所有コスト、最高品質の顧客サポート）へとマーケティングを切り替えていかなければならない。つまり品質は「まあまあ良質」であればよい、と言っているのである。〟

この生き方は、以下の項目で余すところなく語られている。

筆者が関わり「事例」に紹介されているCAD（CAE）事業は、「機械系アプリケイション・パッケージ・ソフトウェア&サポート」という、ソフトウェアの中でも限られたユーザーに向けたニッチの分野である。ソフトウェアそのものは「製品」に属するが、販売後の技術サポートの大部分は「サービス」に分類される。

（註）CAD：コンピュータに支援された設計ツール

ソフトウェアは大まかに、業務系（あるいは基幹系）とエンジニアリング系（機械系、電気系、土木・建築系）に分かれる。その開発の成果物の性格により、さらに「サービス」と「製品」に分類される。「事例」の大部分は「製品」で構成されるが、一部は「サービス」であり、時としてその要素が重要となる場合がある。通常のソフトウェア事業はその双方を内包する「ハイブリッド」であるが、その構成・内容はさまざまである。

1．ソフトウェアの分類と定義

ソフトウェアの歴史はコンピュータの歴史とともに長いが、「産業＝モノ造り」という概念に長年親しんできた日本人にとって、それは得体の知れないものであり、しばしば怪しげであり、うさん臭いものに映る。

以下に「事例」として取り上げるラズナといい、ソリッドワークスといい、それは広いソフトウェアの中では（エンジニアリング）アプリケーション・パッケージ・ソフトウェアという限られた分野の事柄である。それを明確にしておくために、前掲のクスマノの文献に従って、まず分類と定義から押さえておくことにする。

(1)　分類「製品」と「サービス」

(a)　ソフトウェアは「製品」と「サービス」に分類される。その両方を業として営む企業をハイブリッドと呼ぶ。この分類は、SWCの事例で、「製品」の販売（License）と「メンテナンス料」、「サブスクリプション」という名目で出てくるので、要注意！

(2)　「製品」の内容

その範囲は広く、ハードウェアでいえば単品あるいは部品に類するものから、組み立て製品・設備の類から、工場・大型設備プラントに類するものまである。例えばSAPなど。後者に属する「製品」も初めは部品の類から出発して、周辺のアップリケーション・ソフトウェアなどの補完製品を吸収して、多機能を備えたある分野の基盤ソリューションを提供するソフトウェア大手企業に成長し、これは業界用語でプラットフォームと呼ばれる。その機能を補完する個別のソフトをアップリケーション・ソフトと呼ぶ。プラットフォームの提供者の市場占拠率がつとに高まっていき、そこに収益が集中しているのが今日の著しい傾向である。補完機能のサプライヤーにあっては、その成功はしばしばどのプラットフォームに付着するかが、その分かれ道となる。ソリッドワークス（SWC）がインテルのMPUを採用し、OSはマイクロソフトのウィンドウズ95を採用したのが大成功へ向けての賢明な選択であった。そして、SWCも、補完ソフトとのオープンな結合とAPIを通じた梃の効果によって、自らもCAD／CAM／CAE／PLMのプラットフォームの供給者へと駆け上っていったのである。

(3)「製品」の「メンテナンス料」

「製品」の「メンテナンス料」には通常、顧客からの問い合わせ対応、バグ・フィックス、機能向上が含まれる。

アップ・グレイド（Up grade）あるいはバージョン・アップ（Version up）と別称してメンテナンス料とは別途課金することもある。「メンテナンス料」は「製品」とは別途契約となるが、それだけにアップ・グレイドを頻繁に実行しないと（最低年一回程度）ユーザーは契約に応じない場合が多い。逆にメンテナンス・サービスやアップ・グレイドの開発に堪えられない業者は、永久使用ライセンスを発行してその責務から逃れる。世の中にはフリー・ライセンスのパッケージソフトも存在するが、それらはこの範疇に属する。

(4)「サービス」の内容

基本的には、顧客のニーズに応じて、「製品」のカスタマイズや、操作プログラムを開発したりするサービスの提供を指す。当初は「製品」も個別のコンピュータに付随するものであったので、「サービス」も同様であったのが、次第に「製品」はもとより「サービス」も特定のハードウェアから独立して、特定顧客や、不特定多数のユーザーを対象とするシステム開発やコンサルティングなどに拡大していき、多くのソフトウェア企業ではこの分野がハードを上回る収入を得るまでに成長するに至っている。

2. ソフトウェアの所有権の帰属

「製品」の所有権は基本的に開発者に帰属し、その使用料は〝License〟料としてユーザーから開発者に支払われる。これは使用期間に従って支払われるものと、永久に使用権を取得する場合とに分類される。その区別は当事者間の取り決めによるが、開発者のアップグレードの方針と深く関わっている。

これに対し「サービス」の場合、使用者の要求に従って業者がシステムなど開発する場合(＝受託開発)、所有権は使用者に帰属するが、サービスの開発が業者の仕様によってなされる場合（＝請負）所有権は開発者に帰属するが、サービスの開発が業者の仕様によってなされる場合（＝請負）所有権は開発者に帰属する（但し、開発時に開発者の基本ソフトをカスタマイズする場合などはこの限りではない）。

ここで大切なことは、ソフトウェア産業にあっては、顧客の要請により顧客の仕様に従って開発された「受託開発」を除いて、「製品」、「サービス」の所有権は開発者に帰属する、ということである。「製品」の多くは中間業者（＝特約店、販売代理店、VAR）を経由して使用者に販売されるが、その所有権は開発者に帰属し、使用者の有する権利は一定期間の使用権（＝ライセンス）に留まる。

従って、中間業者はソフトウェアの売買を通じて、所有権の移転に関わることはできない。この点がハードウェア＝物品の売買の場合と根本的に異なる。所有権に付随して、「顧客情報」を〝Trade Secret〟と呼ぶことがあり、これが中間業者か開発者のいずれに属するか、は紛らわしく、当事者間の契約で明確に定めておく必要がある（後にラズナの事例の項でその問題について述べる）。

3．ソフトウェアに関わる財務特性

（1）一般的特性

（a）利益率が高い、50％前後かそれ以上

（b）「製品」は年代とともに収益低減の法則が働いていく。

（c）「サービス」や「メンテナンス」は年代を経るにしたがって、利益率が向上

（d）「メンテナンス」の売上比率が「製品」の一定割合を超えると、「製品」の売り上げが落ちてくる（ＥＯＬ）。

（e）Ｒ＆Ｄ費用の売り上げ比率が異常に高い。20％以上（その理由は第一章ｐｐ．94～96で説明）

（f）「製品」の製造コストはゼロに近い。

（2）財務処理の特性

（a）開発費の処理

いったん研究開発資産として貸借対照表に計上され、その耐用年数に従って（18か月～3年）、各年の費用分が損益計算書で償却される。（繰延資産処理）これは開発後のメンテナンス費用捻出のための優遇税制処置である。（『コンピューティング史』共立出版ｐ64

２０２１年）
（これは米国会計基準（US GAP）による処理方法）
(b)「メンテナンス料金」収入の財務処理

ユーザーはメンテナンス料金を通常一年間分ずつ開発者に支払うが、これは役務提供が終了するまでは料金を前受していることになり、入金から始まる月ごとに順次売り上げを計上して、残額は負債勘定の前受け金として計上する。その意味するところは、キャッシュフロー＝資金繰りを財務諸表が示すよりもより豊かにし、しかも「製品」開発後の年代を経るほどに経営を楽にしてくれる効果をもたらす。一昔前には、「製品」売り上げに対して「メンテナンス」収入が４割を超えたら、その事業は「製品」のライフサイクルの終焉（ＥＯＬ）に近い、と警戒されたものであるが、後述のＳＷＣのビジネスモデルでは、これが事業発展の大いなる梃子の役割を果たすことになったのである。

4. ソフトウェア開発の歴史

ソフトウェアの開発は、〈コンピュータの歴史〉にもあるように、当初はコンピュータ（ハードウェア）の記憶、操作・指示、アウトプットなどを行うためのツールとして開発された。当初はＩＢＭのメインフレームに用いられるのが主流であったから、その開発方法も形式化されており、プログラミング形式が定まっていた。

従って、開発を効率化するために〝ソフトウェア・ファクトリー〟という標準化した開発方法が、モノづくりの方法同様日本のコンピュータ・メーカーで流行した。日本では日立、富士通、ＮＥＣなどコンピュータ・メーカーがソフトウェア部門を有していた。しかし、米国では、ソフトウェアを独立の事業としてとらえる気風が強く、ビル・ゲーツのマイクロソフトはじめ幾多のソフトウェア業者を輩出し、しかもコンピュータ・メーカーとは比較にならないほどの高収益を上げており、この傾向は今日ますます強くなって来ている。

ソフトウェアがコンピュータの機能・性能の一部としての役割を果たしてきたのは、続くミニコン、ＷＳの時代にも引き継がれていき、むしろ連動するＯＳやアプリケーション・ソフトの優劣がハードウェアの人気と運命を決定する迄になっていたのである。ＳＵＮのＯＳ、Solaris, SGI の Open-GL など枚挙にいとまがない。

しかし、この傾向はＰＣの時代になると変化が著しく、マイクロソフトのウィンドウズ・Word, Excel などが販売の決め手となっていき、その搭載ソフトの有無がハードウエアの売れ行きを決定づけるに至った。

ここでソフトウェア事業の発展の経緯をクスマノに従って顧みる。(『ソフトウェア企業の競争戦略』(ダイヤモンド出版 pp.132〜182 2004年)

1950年代

システムウェアと各種のサービスがソフトウェアを事業として経営し始めた。

しかし、これはハードウェアを販売するためであってシステム製品は付録。

その詳細については〈コンピュータの歴史〉ですでに触れているのでここでは省略する。

ハードウェアの付属品の地位からソフトウェアシステムが独立する契機となったのは、'49〜'62年に政府によって開発されたSAGE(半自動防衛システム)であり、これによってSDCが誕生し、バローズを経てユニシスとなった。今一つは、フライトシミュレーターで、蓄積装置の技術開発に繋がり、DECをはじめとするミニコンピュータ誕生の起爆剤となった。

1960年代

独立したソフトウェア製品の事業が登場。

ユーザーの共通ニーズやアプリケーションがほとんど。

IBMは一顧だにせず、90年代までソフトウェアを事業として取り扱わず。しかし、コンピュータのプラットフォームの変化の時代を生き抜いて、サービス事業中心の企業として生き残っている。

この年代の著しい傾向は、カスタム・ソフトウェアの提供である。顧客はまず石油掘削業界、続いて保険業界と小売業界向けである。EDSは'62年に誕生。

1970年代

IBMのシステム/360の発表と共にIBM互換ソフトの開発が盛んになったが、従来にないソフト領域を埋めるべく、データベース製品が開発された。オラクル、インフォーミックス、サイベースが水平市場を開拓して巨大企業に成長していく。

この水平市場開拓の流れは、人事関連業務、財務・会計、社内コミュニケーション、取引先との連絡、など会社の基本業務を管理する「統合基幹業務システム」(ERP)へと展開していく。アクセンチュア、KPMG、プライスウォーターハウスなどの監査法人もシステムハウスへと変身していく。そして、この流れはコモディティ化とパッケージ化の流れとも重なり、必然的にPCをプラットフォームとするところとなる。マイクロソフトの「製品」

市場への本格参入である。

ＰＣの登場とともに新しいプログラミング技能とマーケティング・スキルを併せ持った新世代のプログラミング技師や起業家たちを登場させた。

１９８０年代

次世代のプラットフォーム、ワールド・ワイド・ウェブ（ｗｗｗ）は新しい起業家とＩＢＭなどの既存企業の双方に、異なるコンピュータシステムを結ぶ機会を提供した。ＩＢＭは初期段階ではシステム設計者の役割を果たしたが、ＰＣ時代には重要なシステム・ソフトウェアをマイクロソフトが定義し、重要なハードウェア・プラットフォーム標準をインテルが定義し、80年代後半には主役の座をこの両者連合にに譲り渡した。マイクロソフトはＰＣ向けの最初のプログラミング言語（BASIC）を開発し、それによって、その後幾千人もの個人ユーザーが、ＰＣ革命に必要不可欠なアプリケーションやソフトウェアを書けるようになった。そして、ビル・ゲイツは、ＰＣソフトウェアがビジネスであり、他の人々にとっても生産手段の源泉と成りうることを世界に向かって宣言した。

ＰＣソフトウェア・ビジネスの今一つの特色は、参入障壁が低いことである。第一のうねりはユーザー・インターフェースがテキストベースだったＤＯＳから、ウィンドウズ・ベースのグラフィカル・コンピューティングへの移行だった。

第二のうねりは、インターネットで、それは巨大に分散されたクライアント・サーバー型コンピューティング・システムの時代を切り開いた。

１９９０年代以降

この時代以降はインターネットゴールドラッシュで、インターネット上で機能する仕組みとして、ブラウザ、サーバー上で動くプロトコル群そしてハイパーリンクが開発された。次いで、ウィンドウズＰＣやＭＡＣでも動作するグラフィカルなブラウザ（ナビゲーター）が開発され、マイクロソフトはウィンドウズ95に無料のインターネット・エクスプローラを抱き合わせ販売するようになった。

ＳＵＮはネットスケープが開発したＪａｖａスクリプトとＸＭＬを使って、ウェブ・ページをデータベースと連携させてインターネットで簡単に配信することができるようにした。これらのＰＣソフトウェアとその操作環境の目覚ましい発展のすべてがＳＷの「製品」開発のための必要条件ではなかったが、そのユーザー数を激増させて事業の大成功に導いた十分条件の役割を果たした。

ＳＷＣはパッケージの開発者から、その後関連の補完製品やＰＤＭ、ＰＬＭも統合する「製品」＋「サービス」双方を抱えるハイブリッドのプラットフォーム供給者へと発展を遂げていき、そのために必要なソフトウェアはその後も開発され続けるのであるが、本論の範囲を超えるので、ここで一区切りとしておくことにする。

オープンソースとフリーソフトウェアが次々と登場したが、これらはソフトウェアを売ることを事業とする企業には事業機会をほとんど提供しなかった。

1990～2005年に始まったITの革命に伴う産業界と世界経済の変革

1．ベンチャー企業（VB）の中身とその出生の必然性、これを投資面から支えるベンチャー資本家（VC）、とその日米の似而非なる決定的な落差、VBに飛びついた日本の既存大手企業の当時の経営事情と日本経済・産業界の実情、更には当時の米国の産業界の事情と、澎湃として興ったVB、これを支援した〃巻き返しの国家政策〃が厳として背後に存在していたのである。

思い起こせば1970年代後半～80年代、日本経済は米国を凌駕して国民総所得において米国に取って代わらんばかりの勢いを示して、〃Japan as No.1〃とか、〃NOと言える日本〃などと己惚れていた時代である。

（註）この20年間のアメリカは成長が減速していて「沈黙の不況」（ピーターソン）と呼ばれており、その影響についてはマドリックによって『豊かさの終焉』で詳しく述べられている。（宮川公男『不確かさの時代の資本主義　ニクソン・ショックからコロナまでの50年』東京大学出版会 p69 2021年）

実は当時のクリントン大統領の時代から、否それ以前、〈コンピュータの歴史〉の項で述べたように、米国は産・官・学・軍の共同戦線による、半導体・コンピュータ・ソフトウェア、インターネット、バイオテクノロジーなどの新技術育成のための国策を粛々と推進しており、それらが80年代末から90年代にベンチャーとして開花していくことになったのである。

マクロ経済においても、85年のプラザ合意による円為替の大幅引き上げに伴う輸出競争力の低下、89年のベルリンの壁崩壊に続くソ連邦の解体によるグローバリゼーションの波と、そこから生じる低賃金労働の世界的広がりによって、モノ造りと輸出に特化した日本産業の競争力は大きく削がれてしまうことになる。加えて少子化と高齢化による労働中核層の弱体化現象とも相まって、日本経済は20～30年にわたる長期不況に苦しめられることになる。これに対処する政策は低賃金労働力を求めての産業の海外立地と新自由主義であったが、これは輸出産業、金融、不動産資本に富を偏在させて、貧富の格差を広げて消費税の値上げと相まって国民経済の疲弊をもたらした。この結果、日本経済は内需不足による不況を、30年の長きにわたって脱出できず国民は苦しめられる。

そこから脱出できない理由は、国民経済の組み換えと産業構造転換の失敗によると言わざるを得ないが、これを企業の事情に即していえば、その核心にあるのは市場の将来を見越した経営資源投入、とりわけ革新的技術の独自開発と広範な利用、R&D投資への決定的遅れである。さらに労働分配率の低下が追い打ちをかけている。その核心にあるのは、上記のような米国が実行した国家政策の欠如であり、以下の「事例研究」でその内実が明らかになるであろう。

本書では二つの「事例研究」で各ＶＢを、ＶＢとＶＣのいずれにも深く関わった重厚長大の前時代型産業（Old Economy）を代表するクボタについて、その事業内容と事業展開、経営実態について時系列的に述べる一方で、その戦略的意図、『旧世界』型大企業とベンチャーの行動原理の根本的相違、日米の事業経営の比較などにも迫っていきたい。

本書のハイライトは第三章、「事例研究」（Ｂ）としてのソリッドワークスである。

このベンチャーは今から振り返れば、業界初の〝ウィンドウズＯＳによる三次元ソリッドモデラー開発〟を志向した〝金の卵〟としての起業当時から、業界標準としての〝３ＤＣＡＤを基軸にした機械設計・製造のプラットフォーム〟という〝ゴールデンイーグル〟に至るまで、至極順調に育ったと一般には受け取られているが、その実事業展開の過程では組織や人間関係、とりわけ戦略においてさまざまの葛藤が有った。とりわけ日本に於ける事業展開は再販総代理店（クスコ）に始まり、開発・販売の合弁会社、更には開発１００％子会社の現地法人という資本関係の変遷を経てのものであっただけに、幾多の苦闘を経験した。その内容と経緯についても極力そのエッセンスを記述することに努めた。

にもかかわらずこの事業が成長と利益、キャッシュフローの潤沢という、経営指標のすべてにおいて稀にみる成功を収めることが出来たのは、創業者の経営哲学の一貫性とりわけその根底に在る人間尊重の理念と、開発力の確かさとスピード、市場期待の把握とアプローチの確かさ、これらの経営の基本的要件が有機的に一体化されて運営されたことに依っている。

『旧世界』と『新世界』の異質な対照と暴大な落差を身をもって経験した者にとっては次のような究極的な問いが発せられる。

〝日本に於いてこのような構造を備えた創造的起業（VB）が興って発展し、遂にはプラットフォームにまで大きく開花するような事業展開が実現しないのはなぜか？〟

2．ITの進みゆく道は？

以上本書に記した15年間程度の歴史を経た後、さらに15年間の歳月の発展を辿ったIT／DX産業社会は、一体どこへと向かって行こうとしているのであろうか？

翻ってその行きつく世界とは〝何〟であり、それは人類にとってどんな意味があり、人類の生活と社会の在り方にどのような衝撃（Impact）を与え、その発展に我々はどのような姿を見るようになるのであろうか？　そのような壮大かつ根源的な疑問への解読が執筆の意図ではないが、事実の由来とそこに根差す本質について、読者と共に探求を試みてみたい。

まず、コンピュータ・IT／DXがどこから来たのかについては、本文中で『コンピュータエンジニアリング史』を引用しながら述べた通りである。

その起源は呼び名が表す通り〝演算機能〟で、帳簿付けや保険証書など専ら大量の記録・計算や印刷に使われていた。（単純）労働の効率化と人件費の節約がその主たる目的であった。日本でも、機械による単純な労働の効率化（生産性向上）と省力化は昔から形を変えて繰り返し実現されて来たが、規格や形状の統一と演算機能をもたらすことは実現しなかった。このような思考法に基づく開発とその事業化がなぜ欧米で興って、日本では不発に終わってしまったのか？　この単純な問いかけへの答えに筆者はいまだ出会っていない。回答を先取りしていうならば、このような〝方法を持ったテクノロジーと事業〟は欧米文明からしか生成・発展し得なかったのである。まず、正当な論理や思考が自己展開しながら、世の中全体を貫徹していって統一された論理体系を形成していくプロセスなしには、このような世界は成立しえない。

（註）この日米の文化ギャップについて、日本電子工業振興会が米国にソフトウェア事業調査団を派遣直後に月報に記した興味深い記述がある。（電子工業月報 1992 年6月号）

〝米国人の基本的姿勢は何事につけ、先ず思想・原理・原則を明らかにして、会社経営にも適用していこうというのに対し、日本人の性癖は、先ず手近な作業を処理しながら当座を凌ぎ、あまり大原則に縛られることなく、事実を積み上げて最終的に全体像に迫ろう、という行動パターンを取る。日本人にも思想や原則に関心がない訳ではないが、それは個別の実行系からは独立に存在しており、お互いに論理一貫性を持つことはない。事業を始めるに当たっては、そのようなものは尚更存在しない。〟

その世界観の底流には、この世は（あるいは宇宙は）唯一全能の人格神によって創造されたものであることを信じる思想・信仰がある。そのような思想信条に支えられた科学者、エンジニアの心の底には、〝人格的絶対神の手になる世界は一貫した論理で貫かれているはずであり、その解明こそが科学・技術者の使命である〟、という大前提となる信念がアプリオリに存在している。この世界観はすでに述べたところであるが、日本ではその観点は意図的に等閑視される傾向が強いどころか、却って科学の「客観性」の探求を妨げる、という見解が支配的である。

そんな話は神学と科学が未分離であったニュートンやケプラーなどが抱いた古典物理の世界の時代のことで、世俗化が進んで合理的な欧米社会の今日の世界（理神論）にあっても、そんなことを信じる人はいない、と知識層も含むほとんどの日本人は考えている（註1）。

これは認識不足も甚だしく、現代にあっても欧米の最高の知性を有する卓越せる科学者の多数は、この世の創造者と今日の世界を統べる絶対神の存在を信じている、という厳然たる事実がある。

残念ながらこのような信条は、日本人の思考回路からは発生しえない。八百万の神の世界観は融通無碍であり、このような首尾一貫した論理によって自然や世界が成り立っていることは発想の外にあり、むしろ自らを良しとして、自然破壊を一神教のせいに帰したりする趣きが見られる（註2）。

今日まで筆者が一貫して欧米由来のテクノロジーの日本に於ける再販事業に携わっている大きな理由の一つはそこにある。

（註1）この論点は村上陽一郎も、宗教と科学の合一性の解体と文化諸領域の独立、或いは宗教と科学の世俗化ととらえている。ただし村上はそれを認めた上で、なおかつ実在する神の存在を科学の上位に位置づけている。『科学史・科学哲学入門』講談社 2021年

（註2）村上は日本人一般にみられる「自然の理想」観を、世俗を経ていない神観としている。つまり、理想の自然とは人間生活のために、良い方向に改造されたものを持って良しとするのが本来の理屈であるとしている。

3. IT の創造する効用と市場価値

経済学的価値の創造については、古典派経済学とりわけカール・マルクスの「労働価値説」があまりにも有名であるが、現代の近代経済学者の多くが否定するほどにはその価値は失われ

ていないと言ってよい。筆者も昨今のマルクス経済学者が言うように、金融、流通、土地資本による生産・消費の実体経済から遊離した独立利益創出には本来的価値は認めない（擬制資本）。

しかしながら、企業の価値創造の本流たる生産、そのための労働及びその付随業務活動に於いてＩＴ機器・ソフトウェアがこれを増殖する道具として利用されるのは認めるが、擬制資本部分たる金融分野において金融工学と一体化して、ひたすら交換価値の道具としての貨幣の増殖を求めた結果としての膨大な富の錬金生成、そしてその手段と化している昨今のＩＴ産業はＩＴ技術が生み出した「鬼っ子」といえる。これはこれを助けるエンジニアリングに加えて、右翼保守党政権が過去30年にわたって実施した金融部門の規制緩和政策によるところも大きい（日米ともに共通）。

ここでは、企業生産とその付随行為たる販売・物流を含めた広義の生産という立場から考えてみよう。

そもそもＩＴによる成果物、とりわけソフトウェアシステムは（無形）固定資本なのか流動資産なのか？「TRONの考案者である坂村健一によると、ＩＴは万人の用に供すべき性質のものであるがゆえに、知的所有権も含めて固定資産とせず使用のみに課金する流動資産扱いにすべきとしている（『情報社会の日本モデル』そしてその効用はマイクロ・エレクトロニクスとシステム・エンジニアリングの力を借りた、産出（増産）なのか労働の効率化＝生産性の向上、或いは労働力の代替（省力化）なのか？）。

（税法上の取り扱いは、前述の〈ソフトウェアの歴史〉の項で説明した通り）

これを我々の生活の変化＝その総体である国民経済で見るとどうなるのか？

単純にいうと、ＩＴは人々の生活を豊かにしてくれるのか？　代替労働者の穴を埋める新たな雇用を創出してくれるのか？　そして、その差し引き計算は、国民所得を拡大させるのか、縮小させるのか？　その答は「分配」の在り方と深く関わっていることは言うまでもない。

一般にＩＴの雇用創出効果は、従来型（組立て）産業ほど大きくないといわれている。それは個別企業に於いても産業連関の総体に於いても然りである。例えば、ＩＴ産業は自動車産業に比べて投資や雇用の乗数効果が極めて小さい。半面、２進法によるバイナリーの技術体系は単純で多大な計算が得意なので、同じ範疇に入る単純作業に従事する非熟練工や事務職員、単純セールスパーソンなどは容易に代替されて職を失う（あるいは非正規労働者の採用によって賃金を引き下げられる）ことになる。一方でＩＴ化のお陰で人々の生活パターンが激変して、新たなる需要が澎湃として興っている場合が多いのも事実である。ＰＣ、スマートフォン、スマートフォン・アプリケーション、ゲーム機・ソフトウェア、画像・ビジュアリゼーション、漫画・アニメ、ゲーム、B to B, C to Cのインターネット売買（通信販売）など数えきれないばかりの〝新産業〟がある。八百屋・魚屋・肉屋・酒屋・家電販売店・洋品店などの零細な個人商店はコンピュータシステムを駆使した全国規模の共同仕入れ、ネットワークを駆使した大量販売を旨とするスーパーマーケット、コンビニエントストアや家電量販店、ブランドチェーン店などに駆逐されて、いまや見る影もない。そこで販売されているものは地元で採れたものなどの国産品は稀で、ほとんどは輸入品か遠隔地生産品である。ITと流通革命の成せる業である。昭和の時代を知る者の街の景色は、その面影をもはや留めてはいない。ITは直接かかわっていないが、この国ではその変化が、田舎の喪失、食料の海外依存という、いわば自立せる国民経済の崩壊と引き替えに進行していっているのである。地方の産品が地元で費消される〝地産地消〟が静かに浸透していく一方で、インターネットを利して都会の消費者に販売される産地直送のビジネスモデルも立ち上がってきている（B to C）。

我が国におけるITの社会規模での利用の甚だしき遅れは、はしなくも昨今のコロナ禍に於ける検査・入院、ワクチンの予約・報告・統計体制の混乱と報告の手入力作業の実情などで露見してしまっている。

その原因の一端を3DCADの開発と導入の経緯、そして今日のＩＴテクノロジーの企業や官庁への導入の際の担当者や管理職の恐るべき後進性に、事業者がどれだけ悩まされているかを知ると、日本社会の今日の「病理」が見えてくる。

言い古されたことだが、〃技術は本来中立のもので、これが人間社会にどう作用するかは、もっぱらこれを利用する主体たる人間の価値観次第で決まる。〃つまり、ＩＴ化によって人間や社会が幸福になるか不幸になるかは技術には無関係なのだと。

はたしてそうであろうか？　技術の中には例えば毒ガスや公害物質など自然環境を破壊するものの生成のように明らかに悪に与するもの、原子力のように一見中立的であっても、ムラ社会の閉ざされた専門家集団では制御しきれない巨大システムの宿命として、悪の発生による大量の破壊を防ぎ難いものなどは実在する。コンピュータの開発が原爆開発と同一人物（John von Neumann）によって並行して開発されたように、技術は中立と楽観してばかりはおれない局面もある。その切り分けを社会に生きる一員としてどう取り組むべきかがいま問われているのである。

ところで、本書は主として経営学の範疇に属する事象「事例」（Case Study）を扱っているが、実はその中に経済学の中核を成す、生産論（成長・利益の創造）、それを表現する価値論と並んで分配論が埋め込まれている。

マルクス経済学を単純に読むと、価値は工場の生産労働から生じる（労働価値説）ことになり、物流、交換などはその価値の付属的表現にすぎない、といわれているが、現在の事業経営の実態を見るに、生産の一部たるサービスや本来は本社部門に属する販売行為もサプライチェーンとして会社の外の付加価値として計上されている（註）。

（註）流通部門における付加価値形成　筆者の企業活動を通じた経験

〈事例　その一〉

筆者のNY駐在時代、営業活動の結果商社経由ではなく日本の本社の延長として販売行為を行うために、支店（Liaison Office）を米国現地法人（US Corporation）に衣替えした。支店では契約行為が法的に出来ないからである。現地法人には商行為から発生する利益（付加価値）に課税されるので、応分のマージンを本社に要求したところ、本社管理部門はOKだが、利益が縮小する事業部は大反対で事業部担当役員も巻き込んで、大論争に発展した。NY法人は日本の地方支店と同一で、販売行為は会社全体の一般管理費であって、事業の付加価値配分の対象に非ず、というのである。
当時筆者はこの論争を通じて、社史の遥か昔に遡ってよりスケールの大きな形で類似の論争があったのを想い出し、先達の偉大さに改めて想いを馳せることとなった。

〈事例　その二〉

クボタの農業機械事業は、大量生産して販売網を通じて大量販売を全国規模で展開するという、家電・自動車産業に類似する販売形態で発展してきた。そしてこの形態は、海を越えて海外市場にも適用されて後日の大発展に繋がることになる。今日でこそそれが当然のことと見なされているが、初期においては決して「当然のこと」ではなかった。
販売網づくりの事始めとして、その昔、農業機械営業部長（後に本部長・副社長）の宮地吟三は、消費地に近い拠点、金沢、高松、岡山にセールス・サービス要員と商品、部品のデポ（サービスステーション＝ＳＳ）を置くことを発案して、当時の社長小田原大造に願い出たが稟議書は五度にわたって却下された。当時は会計学といえども、価値論においては古典派経済学・マルクス経済学の労働価値説に依拠していたからである。付加価値は投下資本に労働者が働いて価値を生み出すのであって、営業、物流、金融などからは生じない。それらは採算の付加価値を生み出すための必要経費としかみなされていなかった。小田原にとっては宮地の言う、営業・物流拠点に製品・サービス部品在庫を滞留させて仕掛勘定を、さらにそのための建屋という固定資産勘定を発生させるなどという概念は、当時の簿記・会計概念には存在しなかったのである。六度目の稟議で小田原も了承して裁可したという。営業チャンネルにおける固定資産、棚卸資産勘定の誕生の瞬間であった。

この方式は海外進出においても適応されて、現地に多大の付加価値を蓄積して後日の大発展の道を切り拓いていったのである。クボタの対抗メーカーは自社ブランドと自社販路による投資リスクを回避して、米国メーカーのOEM戦略をとったため、経費の節減には寄与したが、事業の飛躍的発展は実現しなかったのである。（宮地吟三『風雪50年』（自家本））

SWCの創業者ジョン・ハーシュティックが創業時に唱えたコミュニティの思想は、企業形態の変形に惑わされることなく、本来は同一企業内で生じる付加価値を、その成員で共有して正当に分配し合う、という「生産論と分配論を共存させた、経済学的な本来の価値論への回帰」という価値論の核心を突いているのではあるまいか？　そのような問題関心で本書を紐解いて頂ければ幸いである。

ベンチャー事業（ＶＢ）の戦略展開のキーワード

①ＳＷＣの創業者が起業当初から唱えていて、事業の発展と共に具体化されて、事業飛躍の推進力となった、〝コミュニティ〟の在り方は、本論で述べられているように、垂直型の支配構造ではなくて、オープン・システムによる関連機能の水平分業型、あるいはネットワーク型分業を通じる循環型の有機的構造を保ちながら発展していく形態を備えている。今日多くの企業がこの言葉を真似ており、親会社となったダッソーに於いても引き継がれているが言葉だけが先行している感なしとしない。その本来の理想的な発展形態とは如何なるものであろうか？

本文中でも述べておいたが、このコンセプトの直接の契機となったのは、企業の当初隣村ウォルサムで３Ｄソリッドモデラー（Pro Engineer=Pro/E）の事業化に目覚ましい成功を先行して収めていたパラメトリック・テクノロジー社（ＰＴＣ）の脅威であった。同社の競争力の源は、旧ソ連からの亡命ロシア人の天才的技術者ガイスバーグが開発した〝グラナイト（Granite）〟というの特異なカーネルによるが、ＩＰＯ（株式上場）に伴ってウォール街から送り込まれたCEOスティーブ・ウォルスキはマネーゲームの権化で、ほぼ一年ごとに無償増資して企業価値を急拡大して株主の期待に応えていた。しかし、売上の成長鈍化（創造付加価値の鈍化、あるいは収益低減の法則）が顕著となった時に彼が思いついたのは、代理店で生じる付加価値の自社への取り込みである（この被害に遭って突如として販売権とユーザーを失ってしまったのが日本のCTCであった）。ここで、企業の創出する価値とは何であって、どのように計測されうるものであろうか？　という根源的疑問が湧き上がってくるが、その回答は、ひとまず置いておこう。

ジョンHはこの銭ゲバ劇、つまり〝企業の創出する付加価値を株主と幹部社員だけで独占しようとした〟のを傍目で見て、SWCの理念、ステークホルダー成員がすべて潤う〝コミュニティ〟に定めた（そしてそれは会社がより多くの付加価値を創造する集団に成長するに違いない、と踏んだ）に違いない、と筆者は睨んでいる。

かつてウォール・ストリート・ジャーナル紙に掲載された、切手売買の目利きを副業にしていたジョンHの父親の信条〝Honesty is the best policy（正直は最良の美徳なり）〟を自らの事業理念として紹介した記事からして、その背後には悠久の歴史を通じて今日に流れている、生ける創造神に支えられた倫理観〝Ethos〟に由来しているに違いない。

ＳＷＣが企業として卓越しているのは、その事業を通じて創造した〝付加価値をコミュニテイと共有する仕組み〟を、その後も変えなかったことである。

本文中でＳＷＣの人間関係（Human Relationship＝HR）の在り方を、〝疑似人格的構成〟と定義づけており、その例として会社幹部と従業員との関係は事業運営の規律（つまり職能と職分）においては極めて厳しいものであるが、お互いの人格の結びつき方は、自由であり、同時に尊敬と平等に満ちたものであった。〝企業組織（Business Organization）内部で確立された民主的関係に根差した結合〟であったと見做している。

事実、コンピュータやＩＴの発達の過程では、その技術がそれまでの専門家や高学歴のユーザー層に限定されていたのが、非専門家で低学歴の大衆層に普及する事象を〝民主化〟(Democratization）と呼ぶ。それまでは限られた権力や財力さらには学識・専門性を備えているものにしか所有や利用が許されなかったものが、革新的テクノロジーの出現によってそのような特権を持たない大衆や素人に一気に解放されていく社会的展開の歴史である。

ＩＴ業界を流れる核心には、欧米民主主義がたどった歴史のモーメンタムとのアナロジーがはっきりと読み取れるのである。このように人々の社会・生活様式が一夜にして一変される革命的変化の事象のことを、没価値的表現として〝パラダイム・シフト〟と呼ぶ。このような〝民主化〟を伴う強靭な紐帯関係によって、社員が強固に結び付けられていた実例を挙げておこう。時に及んで〝相互信頼に根差した同僚愛〟（Sympathetic Emotion）の発露を経験し、遂にはＳＷＣの創業者たちが去って、新たな企業を成した際に中核となる幹部のほとんどが追随する稀な現象を経験しえたのであろう。外資ではよく見られる光景といえばそれまでだが、この事例は異質という他ない。

一般にはハイテクの世界では、個々人の独立志向が強く同志集団的行動は稀だとみられているが、稀にこのように人間的紐帯の強さによる集団現象が生じるのである。

跡を継いだダッソー（Dassault）に、その理念が本当に理解できて継承されているか否かは定かではない。同社がＩＢＭとＣＡＴＩＡの製販分離の協力体制に幕を閉じた後の、ＩＢＭの傘下のパートナーに対する付加価値の分配の決着の在り様を見るにつけ、疑問なしとしない。

開発者と再販業者・パートナーとの付加価値配分の評価については、歴史の変遷とともに変化がみられるが、これについては別の機会で触れることとしよう。

②ＳＷＣのビックが創出したと思われる、値ごろ感が有る低価格な製品の提供価格とサブスクリプション（Subscription）の組み合わせ販売による付加価値と資金（Cash Flow）の創出は、ＳＷＣの大成功の強力な推進力となった。今日このビジネスモデルはソフトウェア業界のみに止まらず、物品販売一般の課金形態として急激な広まりを見せている（その経済学的評価は第五章で述べる）。

この「黄金分割」（＝最適化）課金モデルは、今日に至るまでＳＷＣのCash Flowを潤し、親会社のダッソーがその最大の受益者で、本体の過半の利益を稼いだ上に、数々の企業買収の原資ともなり、事業拡大の原動力ともなった。その創始者こそが、まさにわが友ビック・レーベンタールであったといえよう。

これを一層徹底して、課金をサブスクリプションのみに特化する販売方法を開始したのも実はＳＷＣの初代と二代目のＣＥＯたるジョン・マッケレーニー（Joho McEleney=Jonny Mc）（註）である。この二人はしばしば併せてJon & Johnと称される。この初代と二代目のＣＥＯはダッソーと決別の後、他の創業者や主要幹部達と共に、クラウド環境でのＣＡＤベンチャー、オンシェイプ（"Onshape"）を創業したが、（最近何とかつての長年のライバル

PTCに買収され、彼ら二人は本社の戦略幹部としてASP部門を統括している！）その課金方式はサブスクリプションである。

チャンネル販売のレジェンドたるビックは最後までこの事業には参画しなかった。オンシェイプが思ったほど「爆発」していなかった頃、筆者はジョニー・マックとの食事の際にビックをチームに加えてはどうか？　と助言してジョン・Hも後刻その場に加わったが、事はそうは運ばなかった。後日ビックにもその話をしたが、彼のコメントは〝サブスクリプションのみでは、学校や中小のコンサルタント企業相手には売れるだろうが、大企業や公共企業など大口ユーザーも含む市場全体を把握する、安定的な成長モデルに至るのは困難なのではないか？〟と言ったのを記憶している。

（註）ジョン・マッケレーニー（John McEleney）の横顔
ジョニー・マックは1984年にニューヨーク州ロチェスター大学で機械工学のBS取得、1986年にボストン大学（BU）で生産システム工学修士（MS）取得、1993年にノースイースタン大学の経営修士（MBA）1989～95年コンピュータビジョンでマーケティング担当の後、当時SWのジョン・ハーシュテイックにスカウトされる。引き抜き劇の最中に、筆者はジョン・Hからジョニー・マックはCVのCEOプラニッツアーのお気に入りなので、無理かも、と聞いていた。二人がたまたま展示会で鉢合わせした際に彼がジョン・Hに曰く、〝なあジョン、俺には未だ中学生の息子がいるので、当分働かなければならないんだ。俺の事業に欠かせないものを俺から盗んでいかないでくれ！〟と笑みを浮かべながら

懇願する風景に出会った。ジョニー・マックは初めからそれだけの期待を背負って入社したのだが、実務はむしろビックと緊密に昼夜を分かたず働き、期待に応える、否、それをはるかに上回る実績を上げて、2代目CEOに推挙されたのである。彼の退任に際してのビック、ジョニー・マックと筆者の緊密ぶりは、第六章に紹介されている。開発営業、米国営業部長を経て2代目CEOに就任。ベンチャー企業を一流のCADベンダーに成長させて、de facto standardまでに導いた。効率経営による高収益は親企業ダッソー社のキャッシュフローを大いに潤し、その買収戦略実行の強力な資金源となった。SW退社後に、創業の幹部の殆どと語らって起業して、クラウドベースでサブスクリプションを課金方法とするCAD開発会社Onshapeを創業、Jon・Hと共にCEOに就任。これをPTCに売却して現在同社のSaaS部門のEVP。筆者とはSWJの経営でビックも交えて、公私ともに緊密な交友関係を持続した。

ビックの疑問を今になって筆者なりに反芻するに、そもそもサブスクリプションはテスト試用とか短期間、季節使用などを目的とした使用形態であって、毎日利用する恒常的使用には馴染まない。CADはまさにその範疇に入るものである。Onshapeが発売当初は学生や試用で上々の立ち上がりを見せたにもかかわらず、既存CADの陳腐化を凌駕する長所を有しながら、業績が伸び悩んだのはこの一過性試用と永久性使用の製品概念上の区別の罠に陥っていたのではないだろうか？　事実〝企業向け版〟〝Enterprise Version〟を出してからは、再度成長を回復した。そのころ訪問した筆者にジョン・Hは〝Mr. Seo, ライセンス課金方式も導入したいのだがどう思うか？〃と問いかけてきた。不覚にもどう答えたかは記憶が定かではない。彼らが採用したか否かも確認していない。PTCが4・7億ドル以上で買収したのだから、業績は上向いていたに違いない。

この問題をより根源的に考察してみると、そもそもソフトウェアは物品と違って、所有権は受託開発でない限り、開発者に帰属している。ライセンスとて使用権のみであるから、サブスクリプションと本質的な差はないのである。違いは課金方式（と会計上の処理）のみである。しかし、顧客・使用者に与えるイメージはまるで異なる。とりわけ高価な製品は金銭負担がかなり違ってくるので、レンタル志向になる場合もあるのである。サブスクリプションが製品の範疇を超えて一般化しつつある今日、その行方を見守っていきたい。

ここで一旦立ち止まって考えてみると、製造業は素よりソフトウェア産業における販売部門（Marketing & Sales）における付加価値創出機能とは何で、どのように計測されるのであろうか？　という本源的課題が浮かび上がってくる。直販の場合、チャンネル販売の場合、サブスクリプションの場合、それぞれ性格が異なり、その計測方法も異なる。

その昔、企業において付加価値は製造部門で計測されており、販売部門は単に費消部門、すなわち本質的に間接経費であって、生産原価には計上されなかった。その後、営業部門への固定資本、無形固定資本の投資が経常化して、この部門も一つの損益部門として扱われるようになった。営業部門も企業の価値の創造の場所として、企業会計以上に重要な地位を占めていることを強調しておきたい。

③開放型システム（Open System）と独自システム（Proprietary System）の相剋

オープン・システムは、弱者が業界に参入するときの論理である（コバンザメ商法）。SWCの成功の秘密の一つといわれる発売当初からAPIの提供といわれるが、そのこと自体は特異ではない。革命的であったのは、そのインターフェースの構造が極めてオープンでかつサード・パーティとのインターフェースが強靭だが単純に、しかも緊密に取れるような構造であったことにある。これによってSW製品は多方面のパッケージソフトと容易にインターフェースが取れて、遂には設計・製造ソリューションのプラットフォームにまで発展していったのである。

一方、データ伝達の緊密性や速度に一層の精度のインターフェースを必要とする向きには、インテグレーションをより緊密にするAPIの内側に入ったインターフェースを開示して、これをゴールド・パートナーとして特別の同盟関係を結んだ。

開放型システムと独自型システムはインターフェースの取り方の差異であるとともに、ソフトウェア開発の発展段階にもよっている。

一般的に、単品パッケージソフトの開発者としてスタートしたベンダー（開発業者）は、初期段階で、関連ソフトとのインターフェースを取りやすくして梃子の効果による売り上げの加速を目指すが、多くの機能のソリューション提供が可能となり、パートナーが増えるにつれて売り上げの拡大が実現した暁には、顧客とパートナーを戦略的に囲い込んで、閉鎖型システム（Closed System 或いは Propriétry System）に転化していく傾向がある。その目的とするところは、パートナーが流通プロセスで創造する付加価値の取り込みである。

その結果、専用パッケージソフトウェア・ベンダーで起業したベンダーがいつの日かソリューションのプラットフォーム・提供者（Platform Provider）として販売チャンネルの上位に君臨するか、あるいは彼らを排除して直販してサプライチェーンで生じる全付加価値を取り込んでいく動きを見せる風景をしばしば目にすることになる。

その観点から〝コミュニティ〟の在りようを観察すると、その行動と経営戦略的意図が見えてくる。

第一章　ベンチャー事業（ＶＢ）・ベンチャー資本（ＶＣ）の日米比較

1．ベンチャー事業（ＶＢ）の本性とベンチャー資本（ＶＣ）の運動法則の探求

次に気になってきたのは、ＩＴ事業の経営の在り方である。

(1)　ＶＢ事業の経営体としての運動法則

発想の転換による急激な技術革新の結果は、しばしば業務方法や生活スタイルの変換（パラダイムシフト）をもたらす。顧客開拓を求めるマーケティング戦略展開の驚異的スピードと世界的空間的に向かっての広がり。この異次元的展開は、従来型経営のパターンではとても適応できるものではない。

(2)　ＶＣ資本の運動法則

投資対象の成功の確率は極めて低いが、一旦成功して上場を果たせば法外な投資収益

（キャピタル・ゲイン Capital Gain）が得られるのがＶＢで、〝ハイリスク・ハイリターン〟の世界である。

これは着実な収益の確保を旨とする商業銀行には馴染まない世界である。ＶＢの狙う事業の成功確率が極めて低いうえに、彼らからは融資の担保も期待できないからである。投資資金はベンチャー・ファンド（Venture Fund）と呼ばれる、数人単位から始まる投資家集団によって行われる。資本（Fund）の出し手は個人の金持ちか投資銀行のベンチャー子会社で、彼らはリスク分散のために投資先も分散して投資する。

ハイリスクを薄めるいま一つの方法は、株価の安いシード資金（Seed Money）を広く分散投資することで、その中にあって成功の確率を高める手段としては、対象業界の技術への専門知識、業界事情の知悉が欠かせない。

そのためにＶＣは、以前ＶＢで成功体験を有する開発者や経営者など、〝業界のプロフェッショナル〟をパートナーとしてかアドバイザーとしてファンドの内部に抱えている。ちなみに筆者はＶＢとは直接対峙した経験はなく、つねに観察者に留まっていた。ＶＣの役割を担ったのは専ら親会社のＩＴスタッフであった。

（実際に資本家の手足となって、ＶＢの経営者を指導しながら叱責し、必要とあれば経営者の首のすげ替えなどもいとわぬＶＣのファンド・マネージャーたちがＶＢ経営の実質的執行人である。投資回収のためには手段を択ばず、ハゲタカファンドなどの汚名を着せられているのは、主としてこの人たちのことである。）

しからば新規事業進出に際して、当初は開発・製造・販売事業（ＶＢ）経営の多くを担いながら、その潤沢な資本力を背景に投資家ＶＣとしての役割も拡大していった、クボタの事業展開の経緯と戦略意図は解明されなければならない。「事例」の背後に位置するステークホルダーとしての検証作業である（事例研究(c)）。

しばしば世上で揶揄されるＶＣのＶＢ支配の構図は、実は米国会社法の定める所に従って厳密に運営されており、ＶＢがその例外でないというだけの事である。そもそも会社経営の最高の意思決定機関は取締役会であり、その決定如何によって自らの出資金の結果が定まるのであるから、経営者の選択に始まり、取締役会では議論を徹底的に尽くし、経営結果が思わしくなかったり、その資質に問題が有れば、首のすげ替えなど躊躇はしない。日本においても取締役会の機能や権限はその本質において、米国とあまり変わる所はないが、日本の場合とりわけ重厚長大の大企業においては、取締役は経営者の兼務が多く、その力が相対的に強くその意向はほぼ承認されることが圧倒的に多い。

筆者はラズナにおいてその長所を学び、業界事業に詳しく人格的に尊敬に値する社外取締役を本社に申請したが、反対されて〝顧問〟に留め置かれた。その方とは、東京エレクトロンの創業者の一人で元常務取締役、日本コンピュータビジョンの元社長、野村幸信氏でその指導を仰いだ。そこで学んだことは、取締役会ではCEOも役員の一人にすぎず、その経営や戦略に客観性が有って、他の役員の賛同を得られなければその地位に留まれない、という恐怖の下にいつも立たされている、という事であった。米国のVBのCEOや幹部も皆そのような心理状態に常に置かれていた。それ故、取締役にいかに耳触りの良いレポートをするかに注力して、予行演習をすることも珍しくない。それが習い性となってしまい、筆者はその後別の会社のCEOになっても、取締役会では何時もプレッシャーを感じていたものである。

この経験を踏まえて、本社のトップには、社外役員と執行役員制や子会社を本社事業部と同格とするDivision制などを提案したが、それらは今日ではほぼ実現されている。

筆者自身は、後日のクボタシステムのCEOとソリッドワークスにおいては三度にわたる短期間の臨時（interim）ＣＥＯを除いてＳＷＪでは社外取締役の任を務めて、その双方を経験したことになる。

(3)　ＶＣの本業への波及効果

(1)　自らの経営資源の中に関連技術も市場へのアクセスも有たぬ新規事業の起業のため、ベンチャー（ＶＢ）に投資して新規事業を通じて獲得されたＩＴノウハウの既存事業の効率化・近代化への援用を目指したが、さしたる成果は見られなかった。事業撤退に際しての後処理（陳腐化した商品・技術の本社内での流用）のため、ＩＴの最新技術の全般的利用がその分だけ後手に回った。

(2)　ＩＴ事業から全面撤退の後、農業機械、小型建機、エンジンの機械部門に経営資源を集中、２０００年以降本格化したグローバル化の波に乗って世界企業への事業拡大を実現できた。

(3)　半面、ＩＴベンチャーを通じて獲得した、設計・製造の自動化・同期化、可視化、などの基本技術・システムを既存の事業に組み込んで、既存事業のＩＴ化を促進するまでには至らず、事業経営の神経系統は専ら外部の大手SIer. システム・インテグレーターに委ねる結果となり、自前のＩＯＴ化が遅れてしまったうらみが残る。

(4) VBの社会経済に対する波及効果

次なる疑問は、このようなIT化は、現代社会の在り様（社会構造）や産業構造や生活スタイルをいかに変形させて、その先に見える社会はどのようなものになるのであろうか？これこそが若き日に西洋経済史や宗教社会学を通じて、共同体論を考察した者に課せられた使命でもあるからである。

IT革命の先駆けは、17世紀に英国で成立した産業革命をアダム・スミスが国富論で述べているように、それ以前には手作業で全作業工程を一人で行う家内工業生産形態であった生産様式が、分業と協業による工場での大量生産方式に代わって、生産性の飛躍的向上が社会に膨大な富を創出したことを嚆矢とする。毛織物工業、木綿工業などの繊維産業に始まり、石炭、鉄鋼業へと広がり社会生活の基盤の主力は農業から工業へと転化していく。工業生産のための動力源は水力から蒸気機関へと発展し、このエネルギー革命は工場の農村から都市への移動、蒸気機関車、汽船による人と物品の移動を高速かつ広域化して、社会全体を都市に集中した産業社会へと変貌させ、農業の社会に占める地位の低下をもたらした。

産業革命は生産の工程での技術革新によってもたらされたものであるが、実はその前段階＝「移行段階」の農業社会で生産革命（農業革命）が先行して、織物や金属加工業をも営む豊かな農民「産業的中産層」（ヨーマン）が広範に創出されていて、彼らが形成した農村工業によって社会的富が広く社会に蓄積されていた。彼らこそが産業革命期の事業経営と生産労働を支えた人々なのである（〝担い手〟）。

ところで、これらの手工業生産に携わっていた人々は、機械化に従って自らの職を失うことになり、その怒りの矛先を機械に向けた破壊運動（ラッダイト運動）が拡散した。

ＩＴ化の効果についてはすでに述べてきたが、それは労働者にとってどのような意味をもたらし、今後の姿はどのように変容していくのかを考察しておくべきであろう。

ちなみに機械化の投資効果は以下のように分類されている。

1）省力化効果　　従来労働者が担っていた単純準作業を機械によって代替

2）生産性向上効果　　労働者の現行作業を補助して、生産効率を向上させる。（生産性向上）

3）ＩＴを活用した新産業の創造による労働の創出効果

労働者にとって、(1)は失業、あるいは非正規労働者による代替という結果に陥るのに対し、2）は労働者をより高付加価値労働に移行させて成果を資本と共に享受出来る。

ＩＴ投資についても、その開発の目的と利用方法によって、その性格の帰属が分別される。

(5) ＶＢを梃子にした日米の産業政策の根本的落差

以上、筆者が自ら携わったＩＴ事業の経験と、これに深く関わっている科学・技術、経営、マーケティング、社会の進展・変化を観察すれば、その外観は展望出来るであろう。

しかし、筆者の心にそれだけでは満たされない何かが残った。

上記の諸要因と歴史のすべてを大きく包み込んで、随所で関わりをもっているものがある。それは、当時の世界の動向、とりわけ政治・経済のダイナミズムといったものであろう。本書が照射する１９９０～２００５年は、どういう歴史的変化を経験した時代であったのか？この疑問に答えるに我々は記憶にすべてを頼ることは不可能で、記録を手繰らなければならない時代に生きている（註）。

（註）この時代の日本は「暗黒の20年（或いは30年）」として誰しも知る所であるが、米国の経済も又著しい構造的変化をきたし、その結果がまた日本経済に跳ね返ってくる時代でもあった。以下に述べるような内容を備えた「ニュー・エコノミー」への転換である。

93年に発足したクリントン政権が、全国情報インフラストラクチュア、グローバル情報インフラストラクチュアの名の下に、情報通信技術（ＩＣＴ）を中核にしたアメリカ経済の新しい方向を打ち出した。（中略）政策は製造業中心の経済から脱工業化、情報化、ハイテク化、サービス化を促した。就業者の産業別構成も大きく変化し、専門職・対企業サービス就業者が急速に拡大した。オールドエコノミーの製造就業者のリストラをアウトソーシング、派遣労働者が補い、労働分配率は低下した。かくして産業のメインストリートはウォールストリートのハイリスクの金融投資へと走り、バブル経済へと転換していくことになった。「カジノ資本主義」の浸透である。（宮川公男『不確かさの時代の資本主義 ニクソン・ショックからコロナまでの50年』東京大学出版会　ｐ１３３、１３４　２０２１年参照）

この時代は、戦後復興を成し遂げて欧米先進国を追い抜かんばかりの産業発展を遂げ、〝Japan as No 1〟と己惚れるまでに至った1980年代のピークからわずか10年後から始まる。日本が全く気付かなかった凋落への長い坂道（〝失われた30年〟）を転がり始める直前の10年間にその逆転劇は周到に用意されていた。85年プラザ合意による為替変更による輸出競争力の低下に加えて、米国は産・学・官（含、軍）共同作戦による逆襲〝Made in America〟（1983年刊行）が静かに潜行していた。重厚長大・組立型産業、単品としての電子部品・半導体産業に代わって、電子（回路）・情報開発・バイオ産業、金融工学システムへの産業構造の転換が着々と実行されていたのである。この戦略的産業政策の下で、ベンチャー（VB）の多くが花開いて株式上場を果たし、彼らに主として投資していたVCの巨大化を招来し、更なるVBとVCの新産業のネズミ算的な拡大再生産の構図が加速化されるに至ったのである。このような国家的戦略とダイナミズムを欠く日本産業は、米国に遥か遠くに置いてきぼりを食らってしまったといえよう。

日本の産業界も従来型産業の成長鈍化、グローバル化による競争力低下、銀行・証券会社の相次ぐ倒産による金融危機などによって産業構造転換の必要性を察知しており、それゆえにこそ高成長の新規事業への投資を一斉に始めたわけだが、その方法は相変わらず先進国米国の後追い・基本技術導入型投資であって、米国のように真新な革新技術の発掘を目指す開発ではなかった。それどころかそれまで世界の先頭を走っていたという自惚れゆえに、この時代から今日も変わらぬ日本産業界構造改革の遅れ（『旧世界』型低生産性産業の政治力による温存と、『新世界』型産業の創出と重点投資による産業構造転換への致命的遅れ）がこの国の経済の活力を失わせるに至っている。この圧倒的な技術力の落差、というよりも技術開発の本質的姿勢の落差が、日本凋落の根本原因となったことが明記されるべきであろう。

(6)　コンピューティングという名の『新世界』の実像

以下の記述は、１９９０年から２０００年半ばのほぼ15年にわたって繰り広げられた、製造業の設計・解析・製造のプロセスをコンピュータソフトを活用してＩＴ化していく、ＣＡＤ／ＣＡＭ／ＣＡＥと呼ばれた業界、それは一般には馴染みが薄く、ニッチに見えて実は製造業開発から製造までのプロセスの仕事のやり方を抜本的に転換する、システムのパラダイムシフトという革命であったのである。当時はその技術的詳細というよりも、その意味するところの意義＝「生産革命」とそれが広く産業界の人々の働き方、さらには産業構造の在り方への決定的影響がよく分からぬままに、その中核部分を担う米国のベンチャー企業で開発されたパッケージソフトの再販事業経営者として携わった者が覗き見た世界の物語である。

その内容にはもとより技術教育の経験はおろか、PCにすら触れたこともない文化系人間が、ある日突如として〝社命によって〟投げ込まれ、戸惑いながら過ごした世界の記録ゆえ、業界事情とりわけ技術（テクノロジー）の理解に関しては専門家の目からすると、初歩的間違いが含まれているのは覚悟の上である。また、四半世紀を遡る出来事ゆえ、記憶違いから、ご迷惑をお掛けする向きがあるかもしれぬがご容赦頂きたい。筆者の意図するところは、コンピュータ、より正確には情報収集・処理業務が大容量の集中処理の時代から、処理機能を分散してネットワークで連結システムへと移行する時代、そして遂に今日に見るような情報の収集も処理もPCで行い、これらすべてをネットワークで繋いで、記憶することによって産業界に止まらず、一般大衆がこれを利用し、それなしには日常生活が成り立たない時代が到来した。まさに産業と生活のパラダイムがシフトしたのである。

これのダイナミックな動きを時代の主役で表すなら、第一期はメインフレーマー、代表的企業はIBM、第二期はミニコンピュータとワークステーション、代表的企業はDECとヒューレッド・パッカードHP、サンマイクロ等であろう。第三期はPCとマイクロ・プロセッサー、そしてソフトウエアの時代で、代表的企業でいえば、デル、インテル、アップル、マイクロソフトということになる。

第二期から第三期へのパラダイムシフトの主役はベンチャー企業（ＶＢ）であり、これを側面から支えたのがベンチャーキャピタル（ＶＣ）である。そして、第四期の情報の収集と処理、記憶の巨大化・高速化、可視化・仮想化を取り込んだプラットフォーム化の時代となると、ベンチャーキャピタルの規模も巨大化して、起業はマネーゲーム化してくる。

本書の目指すところは米国に集中して雨後の筍のごとく生じたベンチャー事業の本質の変化と成果、そして日本の産業界はその衝撃をどのように受容して、その結果仕事の在り方はどのように変容していったのかを解明することである。

大手機械メーカーに籍を置きながら小規模の再販事業を立ち上げ、同時に米国の開発元ベンチャーのパートナーとして自らもベンチャー事業の経営に携わった者の時代の証言が、当時の事跡の歴史的意義の正当な評価をもたらし、ひいては今日の日本でＩＴ事業に関わる人々の生き方のご参考に供すれば幸いである。

コンピュータの発展の概略をこのように俯瞰するとき、筆者が経験した１９９０〜

2005年、疾風怒濤の時代に日本企業はこの動きをどうとらえ、どう反応し、その事業展開の結果はどのように評価されるべきなのであろうか?

IT業界の展開、とりわけ米国の栄枯盛衰は平家物語のように盛者必滅の運命論的ではなく、弁証法的である。

大手企業からIT事業経営者への筆者の移動は、そのベクトルが大手専業企業人と逆方向であった。大手専業企業の場合はメインフレームの大規模処理から、中・小規模処理、アプリ、ペリフェラル、ソフト企業に向かって転身する例が多かったのに比べて、筆者の場合は、ネットワーク分散環境の技術系アプリケーションソフトの世界から、企業規模が桁違いに大きい親会社の基幹系メインフレーム処理会社の経営に携わることになったのである。

当時の親会社の情報処理を担う情報子会社は、その図体の大きさにもかかわらず、落日の感があった。それ以前に筆者が経営に当たったパッケージソフトの再販会社は、天才的な起業家たちが高等数学理を駆使して、疾風の如く世界市場に事業を展開していくダイナミックなベンチャー企業であったのに対して、情報処理会社はEDPと呼ばれて、もっぱら親企業の意向に従った給与計算、材料購入・在庫管理、生産管理、売上・買掛管理などの大規模データの単純集合処理と情報保存（ストーレージ）業務を行っていた。運営も非効率が指摘されており、当時収益が上がらぬ鉄鋼・機械など重工業の本社部門がＩＢＭの甘言に乗せられて、この戦略機能を安値で同社に譲渡して運用代行させる動きが流行しており、同社もその例外ではなく危うく売却されかねないところであった。

ところがである。近年はＩＴ化が広くかつ深く展開するにつれて、Cloudも含むデータ処理・貯蔵（Storage）に加え、グラフィックス・ビジュアリゼーション（Visualization）など画像の高速処理・動画化、ＶＲ／ＡＲ／ＭＲ／ＸＲなどデータの高度化・高速化に伴って、ビッグデータ（Big Data）の処理は再びＩＴ業界の中核技術へと回帰してきている。半導体も動画像の高速処理を可能にするエヌビディア（NVIDIA）が主力のＭＰＵに回帰してきて、業界のリーダー、インテルは言うに及ばず、ＩＴ業界を牛耳るプラットフォームの覇者ＧＡＦＡをも脅かすまでに存在感を高めてきている。

〝待てよ！　この動きはいつか来た道ではないか？〟　クボタが投資した高速ビジュアリゼーションに特化したスーパー・ミニコンピュータ開発会社スターデント（Stardent）による〝ＴＩＡＴＮ〟の夢は、４半世紀を経て今になって実現しつつあるのではなかろうか？　あの投資は社内外から酷評を免れなかったのだが、決して間違いではなかったのではあるまいか？しかしＩＴ事業は〝時〟を見定めること、とりわけ開発のスピードが成功のカギを握っている。

筆者が関わった最初のＩＴベンチャー事業、ラズナ（ＲＡＳＮＡ、後のクボタソリッドテクノロジー＝ＫＵＳＣＯ）で、技師長として支えてくれた吉村信敏氏（註）曰く、ＩＴ事業というのは、戦争でいえば陸軍のように大量の軍隊による補給戦のようにではなく、一騎当千のジェット戦闘機同士による空中戦に似て、戦略と戦闘機の技術水準、そしてパイロットの優劣によって、戦の帰趨は瞬時にして決する。それもぼろ勝ちかぼろ負けかという〝総取り〟の形での決着である。これを業界用語で説明すると、パイロットはテクノロジーの熟練度次第であり、戦略は技術、とりわけマーケティング戦略のポリシーとアプローチの優劣が勝敗を分ける決定的要因となる（勿論空中戦であるので、ランチェスターの言うように、均等の力同士であれば戦力の差異が決定要因になるが＝二乗に比例）。

この総取りの戦いが局地戦に留まっている間はいいが、ＩＴ事業の展開の場合は、えてして時を移さず世界大の戦いにまで拡大するのが昨今の趨勢である。そこで勝利を収めたものの規格が業界標準の世界標準（de fact standard）になってしまい、これがひいては市場競争を寡占状態に導く。

この競争の発生源として勝利を収めた企業や国は、その技術方式・マーケティングに於いてセンター（「中心」または「中核」）の地位を得て、その他の企業や国家はペリフェラル（「周辺」）として追随者の地位に貶められる結果となる。これは１９６０年代に流行したフランク、アミンの発想になる先進国と発展途上国の間の、経済的支配・被支配の関係が現代の世界でも貫徹することを意味している。ＧＡＦＡが作り出す世界では、まさにその原理が当てはまっている。

ＩＴ事業の勝負を分けるもう一つの決定的要因は、〝時間軸〟の長短である。これは技術革新（イノベーション）のスピードが従来型産業と比べものにならないほどスピーディーで、成功のためには経営資源をその目まぐるしい変化に適合していかなければならない。日本の大企業の特性たる官僚的組織の根回し・調整などをやっている内に、打つ手が後手に回ってしまい、競争から脱落していくのである。

（註）１９６３年東京大学工学部船舶工学科卒業、日立造船等を経て東京大学生産技術研究所時代に有限要素法による構造解析のＣｏｄｅを開発。大成建設、日本鋼管を経てラズナ日本、後のクボタソリッドテクノロジー＝クスコ（KUSUKO）の取締役技師長に就任、後副社長。

イノベーションの継続が生き残りのための必須条件であるので、R＆D（研究開発）投資比率は従来型の企業とは比較にならず大きい。当時のNASDAQ上場のCAD大手企業の売上高に占めるR＆D費用の比率は奇しくも21～23％であった。このような膨大な研究開発投資のための資金（キャッシュフロー）を継続的に生み出すためには、当を射たマーケティング・価格戦略と事業経営による急速な成長が欠かせない。起業間なしの小さなベンチャーが、初めからリスクを背負って世界市場に打って出るのは、そうしなくては投資の回収を蹴出せないからである。そうはいってもキャシュフローが黒字に転じるまでの助走段階にあっては、ベンチャー投資家（VC）による初期投資と追加投資が欠かせない（ベンチャーからスタートして現在市場を支配しているGAFAなどのプラットフォームと呼ばれる巨大企業も初期段階での赤字をVCからの投資で補うパターンをたどった）。

日本生まれのベンチャーが世界規模の成功を収められないのは、このダイナミズムの経営スキームを主体的に創出してさらに経営できないからである。

その最大の理由は、従来の日本が欧米に追い付けたのは、このR＆Dや製造技術を技術導入したり開発製品を分解・再組み立て（デッド・コピー）して再生産できたからである。

ところが、コンピュータやソフトウェアの世界では、フォン・ノイマンに始まり、ハードを操作するソフトは組み込み型になっており、ソフトは機械言語＝Source Codeで書かれており、その多くはLicenseとして著作権で守られているので、コピーできない仕組みになっている（これをＩＢＭから盗もうとしておとり捜査によって摘発されたのが、１９６０年代に発生した日立製作所、三菱電機など日本企業による盗作事件であった）。

日本企業、とりわけ在来型産業の大企業が、ハイテクベンチャーの立ち上げに馴染まない財務上の理由は、Ｒ＆Ｄを含む設備投資の償却期間の捉え方のギャップにある。通常の製造業では、開発商品の製造に際して初期段階では赤字が嵩むが、法定償却期間のある時期に黒字転嫁してからは、償却負担が軽くなるかゼロになり、償却後は利益が急上昇して投資の回収に至る。ところがハイテク事業では、償却期限が来るはるか前に新技術が現れて、製品が陳腐化してしまうので投資は損金処理せざるを得ない。さらにその結果、商品、仕掛品、原材料のほとんど廃却処理せざるを得なくなってしまう。この負のサイクルが始まると赤字は雪だるま式に累積していく。クボタコンピュータが辿った蟻地獄は、まさにこの悪魔のループであった。

ハイテク事業がスピード経営でなければ生き残れない理由はここにある。ハイリスクの実態は、事業のスピードについていくために多大な追加投資を要し、事業撤退のやむなきにいたった際には膨大な損金処理が生じることである。多くの日本企業が大企業といえども、巨大な赤字を生じてIT事業から撤退のやむなきに至ったのは、この恐ろしさを認識せずに事業に安易に参入して、戦力の逐次投入によって傷口を桁違いに大きくしていった結果である。

ソフトウェア事業は製造部門への投資がない分投資規模が小さく、固定資産や商品、棚卸資産類の累積負債というリスクを負わないが、開発の遅れや失敗は償却期間を経ずして直ちに資本の喪失をもたらし、キャッシュフローの不足を生じる。逆に投資の償却と保守料金の損金処理など米国政府による税の優遇政策については、〈はじめに〉で述べたところである。追加投資がVCから得られなければ即倒産に陥る構造はハードウェア事業に同じである。専ら経費負担がコスト要因である反面、これを梃にして延命を策す手段もなく、戦略成果としての高収益の実現を迫られる。これがうまく作用すれば、製造業でも、固定資産や商品・仕掛品を持たないファブレス経営による高収益を実現する場合もある（日本のキーエンスという例もある）。

以上、IT事業のリスクを誇大強調しすぎた感があるが、欧米はもとより日本に於いても数多くのIT企業は必ずしも高成長企業でなくとも、息長く命脈を保っている会社が多い。

筆者がこの事業に関わって間もない頃、業界の先輩から言われたことは、「パッケージソフト事業は3年保ったら、決して潰れることはありません」ということである。秘訣はこの事業特有のビジネスモデルにある。通常、製品の価格は以下の内容で構成されている。

(a)　本体価格（ソフトの場合はLicense料）　　永久または一定期間の使用権

(b)　保守料金　　　　　　　　　　　　　　　一定期間の定期支払

(1) 通常保守：顧客からの問い合わせへのサポート（応答サービス）＋バグフィックス

(2) バージョンアップ

(3)（ライセンス）使用料

支払い方法は年毎の一括払いだが、売り上げは使用月ごとに（1／12ずつを）計上。実はこの税務上のトリックが、キャッシュフローを計上損益よりもはるかにリッチなものにしてくれるのである。本体の販売は都度限りだが、保守料金の収入は過去の年次の分の累計が入金、それも前受け金として入金されるのである。

これは裏を返せば、多数の社員がパッケージ・ソフトウェアを使用する大口ユーザーにとっては大きな固定経費負担となる。米国流の請求方式を嫌う日本企業では、保守料金の大幅値引きや不払いを主張するところも現れていた。

これに対抗する対策として、クスコ営業担当副社長の梶山敏雄（註）は元ＤＥＣ、アポロ、ＹＨＰの幹部を経験し、業界事情に詳しく、先手を打って(b)(3)のソフト使用料金５％を徴収した。

これが後日ラズナの収益に貢献したのである。そもそもこの費目は通常メインフレームのタイムシェアリングの運用の際に課金されたもので、ワークステーションやＰＣのソフトウェア業界では異例であった。

当時は開発者主導の強引な手法と非難する向きもあったが、今考えると、これはソフトの課金の在り方の将来を見据えた画期的方法の嚆矢であったといえる。

この冷徹な知恵は、のちにソリッドワークスのサブスクリプションに引き継がれることになり、ひいては今日流行のソフトは言うに及ばず、物品に至るまで製品代金ではなく使用量に応じて支払う決済方法への変革へとつながっていくのである。

以上の結論に代えて、筆者が『藤田若雄40年記念文集』に寄稿した『藤田「先生」と三島「様」』（２０１７）の終章を引用しておく。

〝私は大企業を停年退職後、ＩＴ企業を独立事業者として現在も営んでいるが、グローバル化した資本の論理は中小企業者の安定経営を脅かし自身その手痛い犠牲者でもある。世に興隆するＩＴベンチャーは絶対神の隠された摂理を発掘し、これを技術革新によって生活の変革（Paradigm Shift）を実現して巨大な富を実現していく。絶対神の存在しない日本にはその恩恵もまた無い。資本の論理はここに至って巨大化した金融資本と手を携え、倫理なき営利追及の機械と化して制御不能に陥っている。藤田や三島が身を挺して闘った「前近代的丸抱え共同体」（大塚久雄のいわゆる「一風変わった」）資本主義は、今日姿を変えて正義と平和に挑戦するMonsterと化して、我々の前に立ちはだかっている。この冷徹な現実に「西欧市民社会」に生を受けた「個人のVoluntaryな集団（Association）」＝「新たなるCommunity」が立ち向かうことから、すべての改革は始まるであろう。〃

（註）慶応大学工学部卒業、山武ハネウェルに就職後テキサス・インスツルメントへ。ＤＥＣを経て新設のアポロ・コンピュータへ。これがＨＰに吸収合併後にＹＨＰ部長に。創業直後のラズナにマーケティング・セールス担当副社長としてスカウトされる。後クスコ社長（ＣＯＯ）、クボタシステム常務取締役。

第二章

「事例研究」（A）ラズナ（RASNA）(註1) ベンチャー事業との邂逅

以下の記述はクボタのコンピュータグループの撤退作戦の中に在っても殿軍としてよく戦い、中規模ながらも機械設計・製品開発と品質保証という専門領域の革新（パラダイムシフト）に貢献し、かつ個別事業としても成功を収め、ひいてはクボタ本社にそれなりの業績貢献を果たした事例の記録である。

〝兵どもの夢の跡〟は、失敗事業の損失の甚大さはもとより、何よりも〝旗艦の沈没〟の衝撃が際立って大きかったがゆえに、局所における成功事業からも全面撤退という企業としての意思決定に至った。個別分野にあっては赫赫たる戦果を引き継ぐ選択肢をも捨て去った本社の決定によって、その事跡はグループの中から忘却されてしまった感すらある。しかし、それなりの成功を収めた事業は他社に売却され、あるいは小さく独立して、今日もその業界に在って基幹ソフトあるいはプラットフォームにまで成長したものもある。その成功の最たるものが機械系３Ｄ ソリッドモデラーの世界で業界標準（de fact standard にまで成長し、今なお確たる地位を保っているソリッドワークスである。ＣＡＤの定義は後述するとして、その意義は機械を設計するに際して形状を作成し、組み立て、その特性・品質を検証するモノづくりの原点となる基本ツールであり、その他のソフトと組み合わせて設計・製造のプラットフォームとなっている基幹技術なのである。そして、何よりも貴重なのは、このソフトウェア＝開発・設計を起点とするあらゆるデジタルデータが、部品表・組み立て・生産管理、原価・利益管理関連システムに伝達されて設計製造システムのデジタル体系を形成するからである。開発・製造・財務・物流を繋ぐ神経系統の起点である。基幹技術（註２）に対して、クボタ本社や事業部門はその社内利用にさして関心を払わず、その技術・生産・情報戦略の在り方は疑問なしとしない。

（註1）ラズナの名称の由来
ローマを訪れる観光客は、ガイドにこう説明される。〝ローマ人が〟７つの丘に定住する以前には先住民が居り、（エ）トラスカン（Etruscan）と呼ばれた。現在ローマ人が開発したといわれている道路網（全ての道はローマに通ず）や、渓谷を跨ぐ高架の水道橋、神殿、闘牛場、大浴場などの巨大建築物の設計や強度計算には高度な構造力学計算技術を必要とするが、ローマ人は実はそれらを先住民から引き継いだと伝えられている。彼らが話していた言語がＲＡＳＮＡであり、構造力学計算に特異な才能を示したという。応力の構造力学の解析を業とするベンチャーの起業に際して、この故事にちなんで命名したのだ、と。
（註2）ラズナを訪問した前述の電子工業会ミッションは、その印象を月報で報告している。
〝航空機や船舶、自動車など技術集約度の高い機械類を効率的にして安全性を保障できる設計・開発をするため

に世界の業界で広範に使用されている高度な技術水準と汎用性を備えた標準パッケージ・ソフトウェアの圧倒的多数は米国製であり（アポロ計画用にNASAで開発された構造解析標準ソフトウェアNASTRANなど）、国産ソフトは皆無に近い。このようなソフトの開発と事業化が可能となるのは、産業レベルの工学に明るくかつ数学・物理学の先端理論を駆使できる開発者が、ソフトの中核部分（＝エンジン）を創造し、その周辺部＝ユーザー・インターフェースを既存のソフトを開発した技術者、さらには、これにコンピュータ・サイエンティストと呼ばれるハードやソフトを駆使してグラフィックスとの連携を実現させる一群の技術者達の密接な共同作業を実現させせなければならない。この一連の作業の中、上流に遡るほど日本の開発者の手の届き難いものになるのが現実のようである。つまり物事の思想・論理・原理など抽象的フレームワークを規定していく思考形態は日本人にはなじまないかの如くである。こう考えると、NASTRANやRASNAのような普遍性を以て産業界の実用に広く供せられるようなパッケージソフトが、日本のソフトハウスや大学の中から近々開発される可能性は極めて小さいと言える。〃

1．日本の伝統的大企業のIT事業進出の夜明け

忘れもしない1989年8月の人事異動。重厚長大企業の本社購買や海外支店勤務、上下水道システム事業の政府開発援助を絡めた海外立ち上げに関わっていた者への、コンピュータソフト事業、それもシリコンバレーのベンチャーとの合弁子会社の社長という、青天の霹靂の辞令であった。なにせ文系人間でパソコンに指一本振れたことのないコンピュータ音痴で、製品の構造解析ソフトという高等数学の成果物に至っては全く理解を超えた世界

であり、事業経営の自信など生じるべくもなかった。選定の理由を尋ねたら、米国人と英語で会話・交渉できることと合弁会社の社長なので経営経験のあること、ということであった。

当時の日本の産業界は、80年代の〝Japan as No.1〟という世界一が目前という自信過剰の時代が去って、円高不況下、本業の成長が行き詰まって業績低迷に喘ぐ中で、長期成長戦略の今後の柱を確立すべく競って新規分野への進出を模索していた時代であった。製鉄会社は半導体、電機、機械メーカーは競って未知のコンピュータ関連事業へと足を踏み込み始めた頃であった。

当時のクボタの新規事業戦略は、多角経営で培ってきた上下水道、鋳物関連商品の個別技術を統合してプラント・システム事業を構築する道と、既存経営にない新規事業分野、とりわけコンピュータ関連事業への進出という二正面作戦であった。社内で名付けて前者を地下水脈型、後者を落下傘型と呼んでいた。結果的にはまず筆者が先導したプラント・システム事業からは早期に撤退し、コンピュータ及び関連事業に集中投資したが、成果を得ること乏しく、時間を要して撤退の止むなきに終わった。撤退作戦に長年を要したのは事業の過程で生じた傷の深さ、即ち損金が膨大であったことを物語っている。

その歴史と内容は大よそ下記のとおりである。

2. クボタによるラズナへの投資の動機

コンピュータにまるで土地勘のなかったクボタは、〈はじめに〉「コンピュータおよびソフトウェアの概略と歴史的展開」の記述にある、（グラフィックス系）スーパー・ミニコンピュータと呼ばれる分野に進出した後になって、ハードウェアにはこれを駆動したり関連機能を作動させたりする、アプリケーションソフトとの連携が欠かせないことを知った。対抗馬のＳＧＩが情報処理能力や画像ソフト（Open-GL）の能力やスピードにおいてＴＡＩＴＡＮ＝Ｄｏｒｅの後塵を拝しているにもかかわらず、販売力が勝っているのはパートナーとの連携、とりわけ連動するアプリケーション・ソフトの豊富さにあることに気づいたのである。コンピュータは計算能力のみではなく、必要な情報処理をすることに重点が移っていた時代であった。当時の業界は計算結果を可視化したり、さまざまな目的表現が得られる時代へと急速に移行しつつあり、目的志向のアプリケーション・ソフトを各メーカーが競って移植（ポーティング）していた。

ラズナはその流れの中でＶＣからクボタに投資を持ち掛けられ、投資額も小さかった（1千万ドルはＶＢにとっては決して少額ではなかったが、後述する事情から潤沢な資金力を擁する当時のクボタにとってはそれほど大した額ではなかった！）。しかし、このクボタコンピュータ側の目論見は、後日的外れであることが判明する。広範な設計者向けにＰＣ

ベースで開発した機械設計者の多くが利用する構造解析ソフト・ラズナを、グラフィックスやビジュアライゼーションという当時としてはハイエンドでニッチの分野に特化したミニコンピュータTITAN上で稼働させるのは、初めからミスマッチだったのである。

しかし、ラズナはグループ初のソフトウェア企業(実態はアプリケーション・パッケージ・ソフトウェア)の本質理解と将来動向を探る、という密かな使命をも帯びて船出していた。この流れは後日ソリッドワークス(SolidWorks)という設計ソフト(CAD)の中核を担い、更には製造業の基本システムデータの出発点となる、〝金の卵〟に遭遇する幸運へと導いてくれるステップになったのである。

3. 筆者が採った経営手法

〈その前提となった事実背景〉

(a) 先行する失敗事例からの教訓(〝Bitter Experience〟)

先行するクボタコンピュータは、当時本社のトップが〝社運を賭ける〟と言っただけあって、多額の投資をバックに社内各部署からエース級の人材を送り込み、彼らの広範な裁量で日本における製造・販売事業を運営したが苦戦の連続であった。その理由は何といっても事業の知見もなく、開発の一端すら担わせてもらえないような最先端技術分野で、しかも開発元は米国の起業ベンチャーであり、これに関わったごく少数の管理部門出身のエリート（〝WIZKIDS〟）が社長直属組織下にあって他部門の審査を受けることもなく、事業運営経営を独断的に執行し続けたことにあった。社内の役員たちも本件に関しては技術も経営スタイルについても門外漢で、意思決定に関与すべくもなかったのである。しかもこの限られたエリートたちは、あのハルバースタムが描くマクナマラのマネージメントスタイルそのもので、現場で生じている事実に依拠することなく、もっぱら頭で考え計算した予測しか信じないWIZKIDSであった。彼らは現実が計画にそぐわぬ時には、数字を調整するか本社から資本を追加投入して急場凌ぎを続けたのである。彼らは当時会社の他部門を制圧していた経営主流の管理部門出身の立場を利して、米国の開発元が資金不足に陥る都度追加投資の承諾の道を開き、日本の製造販売事業経営に当たっては、にわか仕込みのコンピュータ知識を誇示して、社員に指示を下していたのである。そして社員の多くはコンピュータ業界から募った「業界人」であり、素人然たる指示に戸惑い、経営はうまく機能しなかった。この会社は、技術開発、マーケティング戦略の失敗、というより事業の本質理解の欠如から倒産したのだが、実は日米の経営相互の意思疎通・決定体制、運営方法など内部体制からも崩壊していたといえよう。

※近代経営における組織間の相互作牽制体制に関する当時のこの会社の問題点については本書ｐ２３３で記述。

(b)筆者が選択した経営手法（Alternative Management Style）

業界の素人が生半可な学習で、特殊先端事業をトップダウンで行う愚を見て取った筆者は、その真逆の方法を採用することを選択した。運営の主力幹部を業界のプロフェッショナルからヘッドハントし、現場のセールス・マーケティング、技術方面のマネージメントは彼らに任せ、自らは専ら事業の本性の把握と、日米両本社との調整に専心した。これは、自分が技術に無知でコンピュータ業界事業に疎かったゆえの苦肉の策であったが、結果的は吉と出た。自身の無力を逆手に取った感があるが、その実この事業が従来型日本産業経営とは真逆の本性を有していることを嗅ぎ取っていたからでもあった。

この『新世界』で筆者が目の辺りにした経営の光景は、それまで慣れ親しんできた『旧世界』のそれとは甚だしく異なっていた。旧世界であればシニア役員クラスの破格の報酬でＹＨＰ（横河ヒューレッド・パッカード）からヘッドハントしたセールス・マーケティング担当ＥＶＰに据えた梶山敏雄（註）は、配下に担当者や担当マネージャーは置いていたが、広告宣伝予算と販売・仕入価格、販売数量、部門スタッフの報酬、従って販売・粗利計画を設定して事業を実行しつつ、経営実態に合わせて経営を管理しながら、期末には粗利を社長宛に提出してくるのである。販売計画、部門や個人への販売ノルマを自己提出させ、実現過程まで吟味して実現性を査定の上最終数字を決定、これをベースに販売計画を決定する。その契機として、それまで聞きなれなかった〝キック・オフ〟と称するセールスと営業技術社員が集う全体会議を開いて、目標設定と会社の方針を徹底させるのである。にもかかわらず経営実態が計画を満たさぬと予測したら、大口経費や社外への外注費を躊躇なく切り捨てながら目標利益の達成を図る。この経営プロセスを『旧世界』の日本的経営では、幾人かの人員と組織が関わって、長時間をかけて調整しながら実行する。経営幹部がこれだけの根幹に関わる仕事を最小人員でこなすのであるから、米国企業トップは日本企業より大幅に高い報酬に与れるわけである。

ラズナは、ソフトウェアブームが一般化する直前に、〝特殊な技術知識を有する専門家に利用が限定されていたアプリケーションソフトを広範囲の一般技術者に広める〟、という創業の理想はかなりの程度実現されたものの、設立当初の目標には遠く及ばず、つねにCashflowの欠乏に直面していた。Cashflowのネックと利益創出を通じるＩＰＯ実現という相剋の只中で、経営者とＶＣが選択したのは企業の売却であった。買収者はラズナが対象市場とした機械設計者相手に最新の３Ｄソリッドモデラーを供給していた、登り龍のように急成長する新興の

CAD開発業者パラメトリック・テクノロジー社(PTC)であった。経営者は世にいうGolden Parashootによって巨大な掴み金を手中に収めたが、(CEOが一千万ドル、COOが八百万ドルといわれている)幹部社員と初期入社の従業員は安い価格で多くのストック・オプションを保有していたのでそれなりの投資収益(キャピタルゲイン)を得ることが出来たが、ほとんどの従業員たちは吸収された社員としての悲哀を味わうこととなった。買収劇の直後にラズナ社を尋ねたところ、入り口のロゴは既に大書されたPTCに置き換わっていた。前CEOがいまだ一室にいたので、〝ここで何をしているのか?〟と尋ねたところ、(いかにも優しそうな顔をして)〝かつての部下たちの将来の生活のための再就職先を世話してやっているのだ〟、と言う。これを偽善と言わずして何と言おうか!

VCたちにも相応のキャピタルゲインをもたらし、その出資者達に十分過ぎるほどの配当で報いることが出来た。投資家クボタにもキャピタルゲインという形で莫大な利益をもたらしたが、転換取得したPTCの株式を保有し同社の繰り返す無償増資の恩典にも浴した結果、累計処分益は250億円に上ったといわれている。

米国の友人たちは〝お前はSWCの業績+キャピタルゲインも含めて、それほどの利益を本社にもたらしたのだから、米国企業なら破格の待遇でその功に報いるところだ〟と称賛した。

今でこそM＆Aは米国では日常茶飯事であり、その金額も一桁大きく膨らんだが、当時としては結構な金額であった。そして、その利益の取り扱いも公にはされず、傘下の休眠企業が抱える不良債務処分に秘かに充当されたと聞き及んでいる。

この経緯を筆者なりに想像するに、金融利益（俗な表現では、財テク、マネーゲーム、これを行使するハゲタカ・ファンド）に関する評価には日米で決定的な価値観あるいは世間の評価の相違がある。当時においても米国流会計基準は日本でもすでに採用されていたが、日本では伝統的に「本業外で得られた所得」に対しては「不浄」の評価が付きまとい、この価値観は今日に於いても経済観念の底流を成している。従って、このような性格の所得の入手経路やその処分方法については、表面には出さず内々に処理せざるを得なかったのであろう。（例えば、旧住友財閥の家訓には〝浮利を追わず〟、とある）今日の企業活動ではM＆Aも一般化し、何よりも国家経済が従来の本流の産業生産活動から、金融街の投機的金融資産取引にその主役の座を譲ってしまっている。（〝メインストリートからウォールストリートへ〟）米国流の企業会計が一般化して、何よりもそれが通常活動とされるIT企業の経済活動の比重が増すにつれ、そのような「倫理観」は消滅しつつあり隔世の感を禁じ得ない。

しかし、それはそれで経済社会に深刻な問題をもたらしていることは、数々の経済学者の憂うるところである(ジョセフ・ステゲリッツなど)。

4．ベンチャーの事業経営の特性

１９８０年代の停滞から米国経済を救い出して、再び世界のリーダーへと蘇生させた要因の一つに、ＶＢとＶＣの目覚ましい働きがあげられる。その特徴は、創造的テクノロジーと斬新なマーケティングアプローチによる経営手法によって、急速な市場開拓を実現して、産業界の仕事のやり方に止まらず、人々の生活スタイルまで変革(パラダイムシフト)する社会革命・民主化のダイナミックな旗手の役割を果たした。同時に、そうして創造された価値を株式上場して、膨大な富を獲得、これを経営幹部とＶＣたちにもたらす。先端科学の創造と研ぎ澄まされた経営手法が、短期間で膨大な富の創出をもたらす、いわば「神とマモン(物神)」が同居する「魔性の世界」を作り出している。

その事業経営手法は目的合理性に徹しており、従来の日本的経営に浸っていた者には学ぶべき点が多くあった。その意味で、ラズナは筆者にとってベンチャーに止まらず、事業経営全般にわたる貴重な入門体験でもあった。

このＶＢが、ＶＣと手に手を携えて計画的に短期間で上場(ＩＰＯ)して、巨額の資本を獲得してこれで経営体制を整え、研究開発及び販売網の拡充など事業拡大のための本格投資の原資として充当する。大企業への道を速やかに歩むこの手の資本増殖の方法は、従来の伝統から見れば〝あこぎ〟にも映るが、経済合理性のみの観点からいえば、マルクスのいわゆる「本源的資本の蓄積」を短期間かつ人為的に創出する手段として、案外評価されて然るべきなのかもしれない（ウェーバーと異なり、資本家の本性に倫理を見ないマルクスからすれば、至極当然の行動パターンに映るに違いない）。

（註）このようなベンチャー企業と起業家の本質を、前掲の「電子工業会月報」は、こう記している。〝技術者を含む〟起業家の方も、技術や事業の創業にとどまらず、自ら（自社の）株式を保有して、それを上場（或いは店頭公開）して巨万の富を築くことに夢を抱き、日夜極度の緊張を堪え偲びつつ技術の創造に励む。「創造」と「欲」の緊張関係の中に新規事業（起業）を生み出して見せるというリヴァイアサンと化した「資本主義」の姿がそこには在る。武士の末裔たる「まっとうな」技術者やビジネスマンが、この様な動機付けによってしか命脈を保てぬ「資本主義」に馴染めぬことは言を俟たない。

以下にラズナの起業からＩＰＯ（初期株式公開）に至る軌跡を米国本社（ＲＡ）と再販事業者の日本法人（ＲＪ）に分けて事例研究として検証してみることにする。

5. 経営の推移

(1) 日本ラズナ（RJ）と米国ラズナ（RA）の事業業績の推移

単位 百万円

P／L	FY1990	1991	1992	1993	1994	1995	1996
売上高（予）	247	500	1,000				
（実）	161	460	776	792	790	770	1,200
Royalty支払	N/A	N/A	63	175	180	190	N/A
貢献比率	N/A	N/A	17%	15%	11%	8%	N/A
原価	61	157	244	248	259	220	630
経費	263	351	403	452	451	487	560
経常利益	-163	-48	129	92	80	63	10
繰越損益	-235	-283	-154	-62	18	81	91

＊売上は事業開始後3年間は順調に拡大したが、その後3人間にわたって横ばいで推移。＊事業開始後2年目、債務超過に転落。本社管理部門が事業の将来性に疑問を提示。 ＊期間損益は創業3年目にして黒字転換し翌年に累積損も一掃したが、RAにとってはRoyalty収入の頭打ちに不満で、経営者交代を画策してクボタから資本注入の後、資本関係の解消に至る。 ＊RAとの資本関係の解消(1995)後、SWの販売に伴って、売上の急拡大し、高収益に拍車。

（RA）

単位　千ドル

	売上高（予）	（実）	原価	経費	経常利益
CY 1990	(1,200)	150		562	-412
1991	(2,400)	371		784	-413
1992	(2,680)	1,160		1,115	45
1993	(3,378)	1,730		1,610	120
1994		2,220		2,100	120
1995		(3,408)			

＊創業2年間はマーケテイング戦略の失敗とソリッド版の製品開発の遅延によって売上の超停滞が続いたが、この間クボタの強烈な資金支援による潤沢なCash Flowに支えられて事業継続を維持。その後マーケテイング・価格戦略を大転換（Low End顧客・低価格→Mid- Range・中価格）して売上の大幅増加を実現したが、IPOを実現する程の成長は見込めなかった。　＊通常の事業経営であれば、優良経営企業であったが、IPO実現のための高成長を維持するためには、開発とセールスに更なる投資が必要で、それを可能にするCash FlowはVCからの追加投資頼みであったが、クボタからは勿論他のVCからも見込みが立たず、遂に事業売却の道を選択するに至った。

(2)（RJ）の資産構成（第2期末）

〈資産の部〉		〈負債の部〉	
現預金	80	短期借入金（富士銀行）	330
前渡金（→RA）	330	長期借入金（クボタ）	200
		資本金	330
有形固定資産	34	累積損失	(316)
長期借入保証金（→クボタ）	100		
資産の部 合計	544	負債の部 合計	544

単位 百万円

（註）RJはRAにLicense料3・3億円を前払いし、同額を親会社とその保証によって銀行から借入れてキャッシュフローを賄う、という借金経営を強いられて事業経営を開始！

6．ＲＡＳＮＡ経営の目的と内容

〈ベンチャー事業経営の骨組み〉

＊明確な設立の目的

＊需要の存在とこれを満たす手段（革命的な技術＋マーケティング戦略）

＊事業運営の体制づくり＋事業拡大のための原資の確保

＊ＩＰＯ実現への計画・実行

＊これらのプロセスを合理的に計画・実行・検証する経営サイクルを実践

〈その内容と事業戦略展開〉

(1) 設立の歴史

ＩＢＭのアルマデン（Almaden）研究所の三名の構造解析の専門家が、構造物の応力解析の結果を得るには、有限要素法（ＦＥＡ）という難解な数学理の理解と複雑なソフトの操作が必要で、これが出来るのは博士（Ｐｈｄ）級の専門技術者に頼らざるを得なかったところを、アダプティブ（Adaptive）Ｐ法という数学理をソフト化すれば、半自動的計算で結果が得られるので、学部卒（ＢＳ）クラスの設計技術者でも操作できることを発見。これをベンチャーキャピタル(VC)に持ち込んで創業資金(Seed Money)を得て創業したのが始まりであった。

ソフトウェアの開発過程で、当初想定した以上の資金が必要となったため、第二ラウンドの資金を募っていたところにクボタが遭遇して、日本に於ける独占再販権に併せてクボタがらみのスーパー・ミニコンピュータ(TITAN)及びCAD類へのポーティング、を条件に1千万ドル+の投資を承諾。

(2) 設立の目的

従来の解析専門技術者のみによる、設計の事後診断手段であった解析業務を、一般的な技術者による設計の事前確認手段として、広範に利用せしめる革新的技術。

アダプティブ(Adaptive)P法(解析の複雑な手法に替えて簡易なメシングによる半自動計算)。

(3) マーケティング戦略 =従来の慣習からの転換を志向

ユーザーの転換:解析専門家 ↓設計者一般(Broad Number of Engineers)

価格帯・販売量:高価・少量販売 ↓低価格・大量販売(Affordable Price 'Mass Sale)

使用の難易度:専門性知識を要する難解さ↓半自動的で容易な操作(Ease of Use)

(4) IPOの実現の道筋

超高度成長の実現（Hyper Growth）
追加資本の調達（Collect Additional Capital）
株式公開へ向けての対証券取引所・株主活動（Road Show to Investors）

(5) 戦略の挫折と方向転換の実施、そして吸収合併による終焉

上記の理念と戦略は、事業遂行の過程で下記の深刻な壁にぶつかった。

(a) 広範かつ大量の技術者向けの簡易FEAソフトは、低価格の値付けと流通網を通じる間接販売を旨としており、当初PC＋2D CADの量販店網を利用した。解析対象がサーフェス・モデラー（FEA業界ではシェルと呼ぶ）の場合は当時のPC処理容量で事足りたが、ソリッドモデラーにバージョンアップしたところ解析画像が収束しなくなり、販売に急ブレーキがかかってしまった。FEAのプロを揃えていたRJではそのことは織り込み済みであったので、当初からワークステーション（EWS）それも上位機種（HP）を薦めていた（ベンチャーの起業時には、非専門の人材の寄せ集めのため、このような初歩的ミスはえてして起こりがち）。

(b) 収入の激減に対応するため、RAでは急遽価格を二倍に値上げし、直販も導入して、使

用プラットフォームはPCからEWSに変更、CADの戦略提携先も2D CADのオートデスクから3Dソリッドモデラーのタ PTCへとシフトした。かかる戦略の基本的変換はベンダーが明確なメッセージを発しないと、ユーザーひいてはマーケットに混乱を来して不信感につながる。事実ラズナの経営方針は〝ad hoc〟と悪評が立ったのである。これがその後の販売の急拡大へのブレーキを掛ける結果に繋がることになる。

(c) ベンチャーの多くはVCから投資を仰いでおり、彼らの投資対象の中、上場に至るものは稀で、それだけに有望なベンチャーには殊の外業績圧力をかけてくる。米国は4半期ごとの決算のため、株主に対して業績の上向き傾向を印象付けるため、3か月ごとにホッケー・スティック(Hockey Stick)状の期末駆け込みによる急上昇受注実績を描いていく。現場は粉飾すれすれの綱渡りを強いられるのである。ベンチャーに限らず短期決戦型の米国の企業の多くが、同様の行動パターンをとる気味がある。

(d) ラズナは業績が絶好調とはいえなかったため、ベンチャー資本家が追加出資を渋った時には「寛大な資本家」(〝Patient Capitalist〟)のナニワダラーにねだってくるのが常で、それがまた取締役会におけるVBのCEOの評価につながる。そのため自らの地位保全のためには手段を択ばず、RJの業績不振を異常に強調してくるのである。事実、CEOは来日してRJのCEO（筆者）の首を挿げ替えて、Royaltyを増額し業績の飛躍的改善（セールスを大増員して収益の悪化をいとわず、売り上げ拡大のみに集中する健全経営を犠牲にして米国開発元の業績の向上のみに特化した異状な経営の強要）を要求してきた。クボタがこれを拒絶すると、その代償として100万ドル超の借入保証を勝ち取って、意気揚揚と帰国していった。

（註）（RA）の戦略ミスを尻目に、適正な戦略によって（RJ）はうまくスタートダッシュを切ったものの、その後高原状態に止まって伸び悩んだのには、上記の販売方針の突然の変更に加えて当時の日本経済が大不況に陥っていたという一般経済状態にも大きくよっている。それまでの〝Japan as No 1〟といわれてバブル景気に酔いしれていた日本経済が、1985年のプラザ合意を転機に為替の大幅円高基調による輸出の不調、1990年のソ連・東欧の崩壊による旧社会主義経済圏の崩壊の結果としての、資本・労働のグローバル化による低賃金労働の国際化によって日本の国際競争力は失われて、日本経済は〝失われた30年〟というデフレ大不況経済に突入した、まさにその時に遭遇していたのである（米国はその逆の潮目を歩んでいたことは本書の随所に述べてある）。

米国流では〝不況を業績悪化の言い訳にするな〟の掛け声だが、未曽有の不況にあえぐ産業界の中枢製品、それもOff Lineの機能への投資に大きな壁として立ちはだかっていたのである。その点、米国はこの辺りから産官学一体での巻き返しが功を奏しつつあり、産業界の設備投資とりわけIT関連への投資が活発化していた時であり、（RA）はまさにその恩恵に浴していたのである（本書「総論」を参照）。

（巻末参考文献）『アメリカ製造業の復活〝トップ50社の成功の軌跡〟』ジェリー・ヤシノウスキー、ロバート・ハムリン、1996年、東急エージェンシー

(e)　ＩＰＯを画策しても実現が容易でないことを悟ったＲＡのＣＥＯは密かにＰＴＣに会社（と従業員）の売却話を持ち込んで、巨万の富を得た。初期の幹部社員ととりわけ投資家も莫大な利益を享受した。クボタもその分け前に預かり、２５０億円のCapital Gainを得たことはすでに述べたところである。

（註）ＲＡのＣＥＯは社員に対するMergerの説明として、〝戦略パートナーのＰＴＣからとても有利な条件で買収のOfferがあり、この先苦労してＩＰＯで見込める利益よりも従業員にとってメリットがあると見込まれたので、社員のためにこの選択をした。〟と説明していたが、事実は逆であった。筆者は後日この〝取引〟（Deal）を仲介した会社の首脳の来日時に会う機会があり、直接に確かめたところ、彼が他の幹部の反対を押し切って〝Boardと結託して会社の売却を申し入れしたとの証言を得ている。

(f)　再販権を失った代理店の事業存続の悲劇

Ｍ＆Ａ成立後ほどなくして、新設されたＰＴＣのラズナ事業部長がクボタのシリコンバレー事務所にやってきて所長と出張中の筆者に対して、〝今後クスコにはクボタ社内の販売権は認めるが、それ以外は日本ＰＴＣの直販に切り替える。もし、どうしても販売を続けるなら、ＰＴＣはＰｒｏ／ＥにラズナのMECHANICAを無償で付与して（抱き合わせ）販売することにする〟と宣言した。その直後に彼はロングブーツを履いたはいた韓国系秘書の通訳を従えて来日して進駐軍よろしく意気揚々とクスコを訪れ、日本の顧客名簿を全て引き渡すよう申し入れてきた。単一商品の再販業が事業経営の全てであるクスコに対しての、このPTCのクスコへの販売差し止め宣告は強烈な衝撃で、一縷の望みの並行輸入販売の道をも断たれるという事は、事業の終焉を意味していた。事実内情を知る本社の管理マンは、ブレーンストーミングと断ったうえで、〝利益を上げている会社の廃業というのは、わが社始まって以来のことかもしれませんね〟と呟いた。事実販売する商品が無くなったら、廃業する他無いのだ。その効果はさっそく現れて、筆者を文字通り地獄に突き落とした。カラープリンタ最大手メーカーにしてクスコ最大ユーザーで、アダプテイブP法普及の先陣を切ってユーザー会長を務めてくれていた顧客が、突如辞任して日本PTCユーザー会長に就任したのだ。更なる一手は、クスコから購入していたラズナ製品を全て日本PTCからの直接購入に切り替える、というのだ。総代理店と顧客の関係に止まらず、CAEの勉強会などを通じて人間的にも強い絆で結ばれていると信じていた信頼関係が、一夜にして崩壊した落胆と明日の糧への不安の恐怖は、今想い出しても身震いを禁じ得ない。

外資企業の経営に携わるとはこういう事なのかと、強烈なボデイブローを痛打されてマットに沈められたショックが体中に走った。凶報が届いた夕刻、クスコ役員会に来社していた本社の担当役員と新橋の焼鳥屋で食事しながら、『常務、私はなんて不幸な星の下に生まれてきたのでしょうか?』と言って慰めの言葉を期待していたところ、『本当にそうだね』と一緒に落胆されて、再度沈痛な想いに駆られて、胆汁を飲まされるような苦渋を味わった記憶が、今もって昨日のことのように蘇ってくる。とにかくこの時点で、クスコという会社を持続させていく見通しなど全く立たず、廃業を覚悟の上で梶山副社長と善後策を密かに協議した。彼は、何人かは業界つながりで引き取ってもらうことを約束、クボタからの出向者数名は本体の出身母体に帰任させたとして、後の社員の引受先は容易に思い浮かばず、どうしたものかと思案を巡らせたものであった。それが全て上手く運んで社員の生計が保てたとしても、他人の冷や飯を食う事になり、何よりも事業に負けた敗残兵達のそれぞれの組織における扱われ方は、惨めなものとならざるを得ないはずである。その責を負うのが経営者というものであることを、この時ばかりは嫌というほどに知らしめられたのである。この窮地に直面する以前には、経営にとって合理的なのは、〝人件費・労務費を固定費ではなく、利益比例、少なくとも売り上げ比例にして変動費扱いに出来ないものか?〟などと頭の中だけで安易に考えていた(新自由主義的)思考は一瞬にして吹き飛び、従業員の生活の安寧の保証こそが、経営の一丁目一番地であることを痛感させられた。後日、クボタが経営不振に陥った時、当時の社長土橋芳邦は自然減でも足りない採算ラインを割り込む、社員523名の早期退職の勧奨に踏み切らざるを得なくなった。(次年度二、〇〇〇人)これが彼の頭を離れることはなく、社長退任後の会長就任を辞退して相談役に退いた。レベルこそ異なるが、筆者もシステム子会社の本社からの出向者7名の早期退職の決裁を与えたこともあって、本社から提供された残り4年の社長任期延長の勧誘を辞退して、36年勤務した会社を後にした。

後日談としては後述するように、本社による法務、財務を含む全面的支援とソリッドワークスとの邂逅という幸運にも恵まれて、何とか死地から脱し得たのであるが、この時点でそのような天恵の到来など知る由もなかった。

(g) 宴(IPO)の後のVBの幹部たちの行末

CEOは約10億円(推定)を手に入れ、めでたくVCの仲間入りを果たした。COOはM&Aに反対だったといわれているが、約8億円(推定)を元手に次なるベンチャー、アリババが大当たりして、瞬間的にせよ世界一の長者番付に名を連ねた。ギリシャの宮殿を買い取ったという噂だが、その知性的な風貌の夫人は彼のもとを去ったと聞き及んでいる。

余談だが、米国のVBのトップはなぜに狂気のごとく働いて、金に執着するのかといえば、それは犠牲にした妻に対する膨大な離婚資金を稼ぐため、というジョークがまことしやかに語られている。原因と結果があるいは逆なのかもしれないが。日本社会には馴染まない風情ではあるが、日本でもそのミニ版は都心の高級マンションや、別荘地などで、その姿を見かけるようになりつつある。

ラズナの幹部は上場成金ばかりではなく、エンジニアには本来の道を歩んで結果的に富豪となった者もいる。

その筆頭として起業時に技術担当副社長としてANSYSから招聘されたマイク・ウィーラー（Mike Wheeler）が挙げられる。彼はプライドが高く頑固な技術者であったので、社のマーケティング戦略〝アダプティブ-P法はFEAに非ず〟、FEAをやっつけろ！（〝Kill FEA〟）というまやかしのPRに同調せず、客の面前で、〝アダプティブ-P法もFEAの一種だ〟と言い続けたので、VPを外されて、コンサルタントという名で冷や飯を食わされていたのだが、入社時に大量のストック・オプションを供与されていたので、その分け前を享受できた。その後、ANSYSに回帰して技術担当副社長となり、同社のIPOで大枚を得て、今度こそ悠々自適の身となった。

今一人、営業技術担当ＶＰのケン・ウェルチ（Ken Welch）は吸収合併劇の直前にラズナを見切って退社し、樹脂流体解析ソフトの大手モールドフローの技術担当副社長となって、同社がAutodeskに買収された資金で、メッシャレス（Meshless）の気体流動会社を設立して後日これを売却して、資産家の仲間入りを果たした。

両人とも長きにわたる筆者の友人であり、交流は今も続いている。

7. ＶＢ型ＩＴ事業と日本の在来型産業の本質的差異

(1) 事業展開の本質的差異：スピード、対象市場規模、Ｃａｓｈの創出。

＊技術開発・市場展開を超スピードで実現してCash Flowを創出するサイクル。

戦争に例えるなら、従来型が陸軍の会戦なら、ＩＴ空軍のはジェット機による空中戦。瞬時に勝負が決し、ぼろ勝ち（総取り）かぼろ負けしかなく、負けた場合の資金の消失規模も膨大となる。

＊経営の目的である利益を達成するため、そこに至る過程の行為を全て計量化して、結果をチェックしながら予測していく作業を継続して実行。

〈例〉
日本では計量化が困難といわれる営業活動に於いても、下記の指標を適用
ASP　　　　　　　　　　　一単位当たりあるいは一商談当りの平均売上高
セールス・サイクル　　　　商談開始から締結に要する平均日数・四半期数
DSO　　　　　　　　　　　資金回収の平均日数
このような発想と実践は、下記のプロセスによって効率的営業に結実
〝Market Creation → Customer Management → Sales → Closing〟という形をとる。
(2)　戦後日本が先進技術へのキャッチアップに成功した、〝技術のDead Copy →投下資本の長期回収による利益創出、〟という手法が無力化（基本技術のLicense依存）
　このパターンを可能にした製造業に対する長期信用（オーバー・ボローイング）は、銀行の長期過大貸付（オーバー・レンディング）であり、それを背後で支えたのが、日銀という国家による信用供与であった。
(3)　日本の敗北
　新商品を世界大の市場で同時販売して投下資本を早期回収する、革新的技術の開発力とマーケティング・販売力の展開力のダイナミズムが今日の日本産業界には著しく欠けている。

ラズナからソリッドワークスへ

ラズナが世に出て30年以上経った今日、よほどの専門家でない限り、その名がCAD／CAE（設計・解析）分野の人々の口に上ることはない。しかし、その〝わずか5年後に〟彗星のごとく現れて、今なお機械設計の de facto standard（実質業界標準＝現在日本における市場占拠率51％）のCADとして世界に君臨するソリッドワークスも、そのコンセプトを手繰ってみるとラズナとの類似点がほとんど重なっていることに驚く。今流行の言葉でいうと〝民主化〟（Democratization）、つまりそれまでは一握りの専門家エリート集団に独占されていたテクノロジーを、新しいコンセプトの実現を目指して、革新的学理とテクノロジーを駆使して、これを一般の技術者が容易に使用できる（使用のための特殊技能を要さない）ツールへと開放したのである。

ソリッドワークスの de fact standard への道は、販売量の飛躍的拡大に止まらずAPIを介してCAE、CAM、グラフィックス、PDM、PLMなどと密結合して、統合設計・製造ソリューション統合システムのプラットフォームへと大発展を遂げることになった。そして、それまではバラバラに存在していて、全体像を想定してCADを起点とする各種の最新ソフトウェアを駆使し、同時に急速な発展を遂げつつあったＩＴインフラにも助けられて、設計・製造のトータルシステムを構築して現場で使用されるレベルにまで高められていったのである。

ラズナの事業は結果的には、ＩＰＯを通じてＶＣ投資家（そしてＶＢ経営者）には莫大な金融収益をもたらすことになったのだが、構造解析というニッチ（Ｎｉｃｈｅ）の分野に留まったままで、統合システムの極一部に留まってしまったのはなぜなのか？ という疑問が残る。

他方で当時、同業で競合していたＡＮＳＹＳは、その後、解析のソルバーに形状を定義するプリ・プロセッサー（Pre-Processor）を開発・結合してＣＡＥソリューション・システムを開発することによって、販売を数倍に拡大してＩＰＯに成功、今や業界の主力プレーヤー（Major Player）の一角を占めるに至っている。それによって経営者、ＶＣはもとより、多数の従業員や株主が多大な利益を得て、自らのIdentityを保ち続ける幸を得たのである。

ラズナの直接的動機としては、当時の経営トップがＶＣと結託して、複雑な手続きと経費を要するＩＰＯ（起業企業の上場）よりも、会社と従業員を業界大手企業に売却して、保有するストックオプションから大金を入手するという〝ベンチャーお決まりの食い逃げ物語〟を選択した、ということに尽きる。

これを事象的に見れば、以下に見るように〝思想とテクノロジーの発展プロセスのアンマッチ〟の結果と捉えられる。すなわち、〝わずか5年〟の差はテクノロジーの視点からは決定的であった。1993年起業、その3年後に販売開始のソリッドワークスの開発・事業展開は、その直前から始まったウィンドウズ（とりわけ95以降）というOSとその回路を作成する半導体の計算処理能力と速度（CPU Power）が1・5年間に倍増する（〝ムーアの法則〟）革命期を捉えた。これと軌を一にして今まではUNIXのOSで高級ワークステーション（EWS）でなければ作動しなかった、グラフィックス表示の構造解析やソリッドモデラーがウィンドウズのOSを搭載したPCで楽々と操作できるようになり、これによって計算や画像処理機能がバージョンアップに合わせて、高度機能の処理を可能にしたのである。その度ごとにコンピュータとソフトウェアのコストパーフォーマンスは桁違いに向上し、エンジニア1人に1台を保有する流れに向かって急速に普及していったのである。

この大量販売環境に在って、幸い各国に2DCAD・PCの販売店網が当時張り巡らされており、ソリッドワークスはこれを利用すればよかったのである。

しかし、事の本質に鑑みれば、これらの技術・マーケティングのインフラに恵まれた以上にその成功を可能にしたのは、創業者の理念(Concept・Phylosophy)と方針(Policy)の首尾一貫性と、それを人格的に支えた変わりない誠実さ(Integrity)であった。その〝大成功に不可欠の本質〟がSWCにあって、ラズナには決定的に欠けていた、といわざるを得ない。

アダプティブ-P法とラズナのConceptに惹かれてRASNA-Jに参加した、当時の日本に於けるFEAの権威であった技師長、吉村信敏の言葉は今も忘れられない。

〝RASNA is exciting, but not pleasant as a company!〟

その詳細については、第三章の事例研究、ソリッドワークスで詳しく述べることにしよう。

第三章

「事例研究」（B）ソリッドワークス（SWC）金の卵からゴールデンイーグルへと変身

〈はじめに〉

ソリッドワークス（以下SWCと略称する）は、筆者が今日まで関わってきたITベンチャー企業の中で、最も成功した事例である。

機械系CADの世界で業界標準（de facto standard）となってしまっている今日から振り返ってみると、同社は成功のための時代の要請に応える必要条件を、創業時から備えていたことがまず挙げられる。その要請の中身とは、機械設計で二次元（2D）では表現できない製・部品の形状・寸法・容量など、設計・製造に必要な部品の形状定義、組み立て、分解、拡大縮小、回転などを作成順序付けも含めて作り上げていく現場作業を、三次元ソリッドモデラー（3D ソリッドモデラー）を梃子として、ウィンドウズ―OSを使ってPC上で広範な機械技術者たちが容易に、しかも手ごろな価格で利用できる、ということである。これらの要請を満たすには機械工学上高度な技術が必要であり、しかもこれをコンピュータ・サイエンスを駆使して表現するには高いスキルを要し、更にこれを操作する際に専門的なスキルを必要とせずに使いやすさを実現するには、機械工学、高等数学、コンピュータ・サイエンス、グラフィックスなどあらゆる個別専門技術の動員が不可欠であった。

幸いなことにSWCが世に出始めた頃には、CAD技術の急速な開発と並行して、数理計算、画像処理技術、解析ソフトなどをはじめとする関連技術の広範かつ急速な開発が展開しており、ユーザーが求める使用環境に関わる技術インフラの急速な進歩と相俟って、技術体系全体が相乗効果をもたらしながら急速な普及を加速していた。その普及を加速した土台となったのは、二次元CADや解析ソフトのPC上での稼働が可能になっていて、その双方を再販売する販売網が急激に普及し始めていたことで、SWCは流通インフラをもタイムリーに活用することが出来たのである。コンピュータ史におけるこれらの歴史の変化のタイミングをピンポイントで捉えた、というさまざまの幸運に恵まれたことも事実である(クスコ元presales部長冠者 実)。

そのような幸運な環境下にあっても、これほどの成功を収めたものは稀である。それはこの時代の流れを先読みして、これに主体的に働きかけて成功を手繰り寄せる、哲学、精神

（より正確な表現としては、〝倫理的な心的態度〟）、技術の確かさと方向性の一貫性と、産業社会の設計・製造現場における作業の在り方の改革を見極めた展望と、その実現に向けての強い意志が存在したからこそである。

その「成功への道」の一翼を担った者が、時代を遡って検証してみることには、単なる歴史の記録という以上に、今後ベンチャー事業を志す人々の参考に供するという意義も見出すことに継がるものと思われる。

この商品＝Technologyには、初めて接した時から素人目にも〝金の卵〟の確信に似た予感があり、筆者が関わった約10年間、とりわけその初期の3～4年間は立ち上げにそれなりの苦労は経験したもののほぼ順風満帆に成長してくれた。その後多少の曲折を経たが、合併の形態をとって親会社となったフランスのダッソー社の基幹CADであるCATIAとはハイエンドとミッドレンジ（SWCはこれをメインストリームと名付けた）に棲み分けする戦略を採用し、グループとしてCAD／CAE／PLM業界の主軸商品群（プラットフォーム）を形成するまでに至った。ベンチャーの世界では〝金の卵〟や〝金脈〟あるいは〝大化け〟という大成功の事例の表現があるが、初めから成功が予見されるような〝幸運の星の下〟に生まれ出でて順調に〝大成功を収める〟ような事業展開の例は稀である。

しかし、この幸運の成就は決して運頼みでもたらされたものではなく、〝天は自ら助く者を助く〟、すなわち成功への鍵を世に一歩先んじて見つけ、それに向けて不断かつ賢明に邁進することなくして成功を手中に収めることはおぼつかない。そして、ＳＷＣの創業者たちと創業期の経営幹部、この事業に参画した社員達の燃えたぎる熱意と、たゆまぬ努力によってのみその偉業は成し遂げられたのである。創業の地ボストンから一万マイルも離れた日本に在って、その心情と経営理念を共有して、成功の一翼を担った筆者とその仲間たちはえも言えぬ幸運を共有することができたといえる。

不思議なことにＩＴはおろか技術に音痴の筆者は、このテクノロジーと経営戦略の卓越と輝かしい将来性のよって来るところを見通せる知見など、素より持ち合わせてはいなかった。

しかし、素人の直感からかあるいはこの技術を担うリーダーたちの人間の大きさに触れたせいか、このソフトには初めに接した瞬間から〝金の卵〟を予感させるものがあり、その予感は事業を展開するうちに実感となり、それは好調を維持しながら筆者がこの事業経営から離れるまで決して裏切られることはなかった。

当時〝直感〟でしか感じることが出来なかった〝成功の秘訣〟を、その後、幾多の技術や事業に関わり経営体験を経た今は、もう少し分析的に解明してみたい誘惑に駆られている。

別の視座から眺めたアプローチが、目下渦中に在る人、これからチャレンジする人の参考に供すれば幸いである。技術やマーケティングの進歩が目まぐるしいＩＴの世界に在って、四半世紀以前の経験がどれほど役に立つかは自信がないが、事業成功のための経営の根幹は時代を経てもそれほど変わってはいないのではないだろうか？

ここでふと気づいたのだが、筆者とその仲間たちがともに過ごした〝不思議な旅〟の中身を、ＩＴや機械業界のプロに止まらず、目下職業生活を営んでいる人やビジネススクールに学ぶ「学生」など広く企業人と呼ばれる人々と、共に味わってみたいと思う。とりわけベンチャーを起業しようとする人々、あるいはすでにベンチャー事業の渦中にある人たちと筆者の体験を共有してみたいと思っている。

そのために産業界のプロ達にとっては周知の知識だが、ＣＡＤとは何か、についてその成り立ちと開発・発展について説明してみたい。ここに奇しくもＳＷＣの創業者ジョン・ハーシュティック（Jon Hirschtick）が２００５年にクスコの招きで来日した際の講演記録があるので、これを以下に引用させて頂き、その用に供することにする（ＰｏｗｅｒＰｏｉｎｔも保存されているのでDigital Dataの活用も可）。

ＣＡＤ（Computer Aided Design ＝従来エンジニアの頭の中にある機械や建築などの構造物の形状作成のための構想力と、その展開能力を製図版の上に表現していたプロセスを、コンピュータの形状・画像を記憶・記録、情報処理、ＡＩ能力などを駆使して、図面として再現する。つまり、技術者の頭に絵で描いた構想を、製図版上に入力再現した機械や構築物の設計プロセスを、コンピュータの能力を借りてデジタルデータとして作成すること）の発生とその展開は以下の通りである。

まず、その概念は、１９６３年にケンブリッジ大学、東京大学、ベルリン大学、ＭＩＴなど世界各地で発生しており、その年1月にＭＩＴのイヴァン・サザーランド（Ivan Sutherland）が〝Sketchpad, A Machine Graphical Communication System〟という名称の博士論文を提出している。駆動しているワークステーションは今や懐かしきＤＥＣのＶＡＸである。姿は電動設計版の姿を留めているが、計算の中身はアーチ型橋脚の構造力学（註）や拘束条件の計算が可能となっている。１９８０年にはＭＩＴでデイビッド・ゴサード（David Gossard）教授が主導するＣＡＤ Ｌａｂにおける研究プロジェクトで、ソリッドモデル、フィーチャー、位相・パラメトリック、アッセンブリーなどの開発が軌道に乗っている。１９８６年にはボブ・ズファンテ（Bob Zufante SWCの Founder の一人）

によるフィーチャー・ベースのモデリング論文が発表されている。これが実現する仕事の中身と効用を、１９８１年当時最先端を行くＣＡＤ開発業者のコンピュータ・ビジョン（Computer Vision：CV）はカタログにこう記している。

（註）構造解析ソフト、ラズナの名称の由来について述べたのと同じアーチ形の橋の構造力学計算がＣＡＤ開発の原点にも存在したのは、ＣＡＥとＣＡＤは現在は二つの概念としてとらえられているが、本来両者は同根の原点を有していたことが奇しくも明らかにされている。

〝図面の作成業務は、その情報がコンピュータによって３次元化されたデータベースのモデルの設計作業となる。その作業内容は、インターフェースの検証や応力計算によって機構設計に耐えうるか否かを検証する。図面は設計者の意図に従って全体像を視野に於いて作成され、自動的に計測され、距離が設定されて印刷される。背後に隠された線は設計変更の都度視界から消去される。プレゼンテーションの際に画像のレンダリングは完璧にシステム上で行われ、関連情報は新しいものに置き換わる。全行程のデータベースは作業図面、部品表を含む全ての報告のデータベースとして作動する。〟

ＭＩＴがＣＶへの主たる人材供給元であり、その開発陣の中核をジョン・ハーシュティック、ボブ・ズファンテらが占めていたのである。彼ら才能溢れる若者たちが、そこを巣立って自分たちのベンチャーを起業するまでにさして時間はかからなかった。

ここで述べられたCAD／CAE開発の歴史と、その結果産業の世界はどのように変わったのかを分かりやすく説明すると、次のようになるだろうか。〝平たく言うなら、それ以前は製図版の上に定規と鉛筆で（2次元でアナログの）作図と試作・耐久テストを繰り返しながら、長時間かけて新製品を世に出すという手順を踏んでいたのが、2次元CADからさらに3次元のソリッドモデラのCADによって設計が出来るようになっただけでなく、部品の断面形状、回転、組み立て・分解などが自在に再現できるばかりでなく、デジタルデータであることを利して、これを共有しながら関連する部門で同時進行設計が可能となった。また、従来多数の試作による耐久テストと専門家による応力計算に莫大な時間を要していたのが、解析ソフトの利用によって設計者でもこれを使いこなせるようになり、しかもグラフィック技術の発展によってその分布を色彩によって判別する事すら可能となったのである。この10～15年の間に米国ではそれ以前とはまるで違う世界が創造され、製造業に携わるエンジニアの仕事の仕方はまるで変ってしまったのである。これぞ正に革命に値するパラダ

イムシフトであり、人々は未だ経験したことのない『新世界』に突入していったのである。〃

〈序章〉

ソリッドワークスとの出会い

先に述べたようにソフトウェアラズナを販売・サポートするための会社クボタソリッドテクノロジー（Kubota Solid Technology、以下クスコと記す）は遠からずその主力製品販売の終焉（ＥＯＬ＝End of Life）を余儀なくされるので、新規取扱製品の発掘に決死の覚悟で取り組んだ。まず、本社での探索費用７０００万円（！）の予算稟議の承認を得て、米国各地で将来性のあるベンチャーによる新技術の発掘に努めた。対象はＣＡＤ／ＣＡＥ／ＡＩ／３Ｄプリンター等広く機械系ＩＴ関連ソフトを網羅した。情報の入手元は米国在住の日系コンサルタントで、彼らは主として業界の展示会を巡ってカタログを入手したり、広告をチェックしたりしながら候補企業の選択に当たった（現在のようにインターネットが発達した時代ではなく、自ずと情報ルートは限られていた）。これに基づき筆者と梶山副社長が広く米国に散在する候補企業を訪問して回ったが、その中で後年花開いたものもあったが、これという魅力的なものには遭遇しなかった。

〝玉〟は意外なところからもたらされた。筆者は新規の事業や新たな世界に遭遇した時、つねにその創業者やキーマンを尊重してその信条や意見を拝聴することにしている。視界真っ暗な当時においては尚更のことである。その中にラズナを通じて近づきになったオートデスク・ジャパンの創業者、荒柴雅美氏が居たが、彼に紹介されたCAD／CAM／CAE業界の調査情報誌〝ダラテック（Daratech）〟（註）に大枚を叩いて入会、そのオーナーであるチャールス・ファウンディラー（Charles Foundyller）の知己を得た。程なく彼から〝発売間近の〟3Dソリッドのベンチャーがある〟との情報があり、早速ボストン郊外のコンコルドのかまぼこ兵舎のような事務所を訪れた。そこで会ったのが、いまだうら若き創業者ジョン・ハーシュティック（Jon Hirschtick）である。後にIT業界のレジェンドとなる男もいまだ30代半ばで、社員は20名ぐらいだったであろうか？

（註）ジョン・ハーシュティック（Jon Hirschtick 以下ジョン・H）
シカゴの出身、ボストンのMITで数学と機械工学の修士を取得、デイビッド・ゴサード（David Gossard）教授が主催するCAD Labで学ぶ傍ら、CAD業界初期の名門企業コンピュータ・ビジョン（CV）でインターンをしながら、CADを開発してこれを同社に売却し、

自らも同社に就職して開発部長に就任。1993年、やはりCAD Labの同僚ボブ・ズファンテ（Bob Zuffante）とウィンチェスター（Winchester）の自宅でベンチャーを立ち上げた。さらに数学者のトミー・リー（Tommy Lee）、ジェット・エンジンのメーカーとして名高いプラット&ホイットニー（Pratt and Whitney）のエンジニア、スコット・ハリス（Scott Harris）も参加、〝Winchester CAD〟を立ち上げた。いずれもMITの学友たちである。これが設立の事務所にちなんだ〝ウィンチェスター（Winchester）〟後のソリッドワークスの創業時の姿である。

余談だが、彼は数学の天才でもあり、MITの修士課程の時代に学友と語らってラスベガスに行き、ブラックジャックの開いたカードを記憶して、確率論を駆使して荒稼ぎをした、という武勇伝も伝わっている。

彼の事業成功への最大の功績は、創業者CEOとして事業の目的、本性、運営の基本理念を確立し、しかも関連技術や市場環境が変わっても、一切ぶれなかったことである。変わらぬ理念は以下のように表現されていた。

〝Put Solid Modeler on every engineer's desktop with affordable price〟
〝Make community among Developer, Strategic Partners and Distributors〟

クスコとしてもCAEは製造業にとって製品の耐久力を検証するに不可欠な技術ではあるが、ほとんどの場合後追い検証のOff Line（非定常使用）の道具で、使用本数も少ない。一方、CADは製品設計作業そのものに供するツールであるのでOn Line（定常使用）の技術で、しかも最終的に設計部員のほとんどが使用することになるので、使用本数も桁違いに多く、クスコとしては設計の中核分野へ本格進出すべく、チャンスがあれば是非とも対象市場としたいとかねてから狙いを定めていた領域であった。しかも今後一般化するウィンドウズPC上で走る3Dソリッドモデラーとあれば、社の後事を託すに十分に魅力的な事業分野であった。後日、営業担当EVPの梶山敏雄と共にコンコルドを訪問して彼の手になる販売戦略・計画（Business Plan）を示したところ、感触は上々であった。ところが数か月後には数社が再販権取得を同社に申し入れて来て、激しい争奪戦となった。そこで我々を強く推薦してくれて販売権獲得に大きく寄与してくれたのが、前述ダラテック社のチャールス・ファンデイラー社長であった。業界のキーマンは大事にしておくものである！

（註）ダラテック（Daratech）
　豪州人チャールス・ファンデイラーによって設立されたCAD／CAM／CAEに特化した調査会社。調査専門スタッフ数名を抱えており、開発技術の将来性に関する評価に加えて業界統計や個別企業の経営

実態把握に関する信頼度が高く、ウオールストリート・ジャーナル（Wall Street Journal）などメジャーな経済紙や業界誌にもしばしば調査報告が引用されていた。同社は当初は年一回、後には業態別・機能別・地域別分科会も併せて大ホテルでコンベンション（Convention）を催し、業界の市場統計、革新技術を含む技術動向の報告の後に、会員ベンダーによるプレゼンテーション、新規事業の発表があり、ロビーや客室・会議室別に自社ブースを開き、顧客を招いて飲み物やスナックも用意して広報・宣伝活動の場を提供した。そこは既存企業に止まらず、新興ベンチャーに広報活動の場を提供する場にもなった。それゆえ、当時業界大手企業はもとより、新規参入企業に至るまで高額の購読料を支払って競って会員になった。

これは広大な国土に多数の企業と顧客が分散する米国で、マーケティング活動を展開するのに有効な手段として知られた、その双方を一堂に会させて営業する業界誌の伝統的PR手法である。コンベンションは、広大な国土に点在する顧客に多額な出張旅費や長時間を費やして個別訪問セールスするより、業界の技術者はもとよりマーケティング担当や経営者やユーザー、販売業者（Reseller）などの関係者を一堂に集めてマッチメーキングするほうが効率的であるという観点から発達した〝米国の集会文化〟である。

筆者は以前のニューヨーク駐在時代に、船主・造船・原油・タンカー、製紙メーカー・製紙機械・紙パルプ関連製品の販売で、商社などとは別ルートの商売開発手段として、早くからこの手法に親しんでいたので、ＩＴ業界に於いても同類の手法を積極的に採り入れていたのである。今でこそ一般化したが、１９９０年代末における日本ではいまだ珍しいことで、その後Copy Catが得意のこの国でもこの手法は一般化していくことになる。但し日本ではイベント業者が展示会を開催する「見本市方式」の方が一般化していくことになる。しかし、日本は国土が狭く移動に要する時間と費用は安いので、その後に対面商談が必須となる商習慣が強く残存する。コンベンションのための設営・運用費用は膨大で米国に比べて、コストパーフォーマンスには疑問がある。コロナ禍が去った後でも、インターネットを利したMarket Automationにその場を譲っていくことになるのではないだろうか？

〈壮烈な再販権争奪戦の裏事情〉

発売開始が迫ってくるにつれて特約店取得競争に参入してきた日本企業は、CTC、日鉄ソリューション、丸紅ハイテック、大塚商会など合計6社に上った。心なしかSWC側のクスコに対するそれまでの好意的な反応の鈍化が感じられ、心中穏やかならぬ時間が過ぎていった。いよいよ決着をつけるべく、第1回の販売会議が開かれているフロリダ州のオーランドへと旅立った。

途上サンフランシスコに立ち寄って、クボタの顧問弁護士との協議に当たった。

その直前に、

RASNA―Aを買収したPTC社のRASNA事業部長がクボタのシリコンバレー事務所に乗り込んできて、既に述べた脅迫談判に対応するためだ。曰く、

〝ラズナの製品（MECHANICA）はクスコにはクボタ社内向けにしか売らせない。外販するならPTCは顧客にPro／E（CAD）に付けて無償で配布する〟（後日マイクロソフトなどによる独占禁止法違反の恐れのある抱き合わせ販売による競争排除）。

これに対する法的対策の協議であった。

幸いＲＡＳＮＡ―Ａとの再販契約書には、大口出資者の優位を生かして、〝クスコは10年間の契約期間内にソースコードと併せて、〝Trade Secret〟も保有する〝条項が盛り込まれており、契約の残余期間の販売権を保持できた。

米国弁護士資格も有するクボタの法務スタッフ（後に常務執行役員）の優秀さに救われると共に、（註）国際事業における契約の重要性を改めて実感させられた。同時に、日本ではあまり知られていない再販契約における〝Trade Secret〟の重要さを教わり、この条項は後々に至るまで、海外企業との再販契約で死守すべき基本条件として保持し続けた。

（註）彼は〝相手がそのような理不尽な要求を突き付けてくるなら、クボタはたとえ億単位を賭してでも戦って見せる〟と言明したと聞き及んでいる。「地獄で仏」とは正にこの事で、得難い援護射撃であった。

現行事業の継続の目途も立たず、新規事業の販権入手も定かでない宙ぶらりん（up in the air）の状態で、筆者はサンフランシスコを発ってフロリダ州はオーランドへと向かった。機中での筆者の心中は時差を逆行しながら飛行する機体からの眺める漆黒の闇そのもので、生きた心地などしなかった記憶が、昨日のことのように蘇ってくる。我が身のことはさておき、真っ先に浮かんだのは多くの従業員が路頭に迷う姿であった。

クスコがSWCを選んだ理由

先述したように、SWCの真価は後日になって明らかとなるのだが、当時は漠然としていたが、その価値が次第に明らかとなってきて、技術開発・マーケティング戦略がIT業界発展方向と軌を一にしていたことも手伝って、将来への期待に胸膨らませるに足るソフトウェアであった。今にして思えば、ラズナの挑戦的だが苦かった経験は、そのための訓練として位置づけられる事業であったのかもしれぬ。この先行ベンチャーは、真の救世主の到来に先立って、ヨルダン河畔の荒れ野で預言する、洗礼者ヨハネの表象であったのであろうか。

成功の真の理由は、経営者トップたちの人格の誠実と、ゆるぎない経営方針にあった。

販売権取得の決め手

SWCに事業戦略・経営計画(Business Plan)まで提出して、しかも出資まで提案(当時のクボタ方式)しているのはクスコのみだと踏んでいたところ、寸前になって商社系の某社も最近は出資も厭わない、と社内で囁かれているとの情報が同社の元社員からもたらされた。同社は保持していたPTCのPro-Engineerの日本における再販権を突如として一方的に剥奪されて、顧客維持のためにも同じソリッドモデラーの3D CADを喉から手が出るほど欲しがっていたのだ。争奪戦に臨んでの両者の違いは、ベンチャー企業への投資の姿勢であった。同社は親会社の商社が投資を担当し、証券系ファンドの助言を採用したのに対して、当時のクボタには数々のベンチャーへの投資経験と出向経験者もいて、投資対象ベンチャーの将来性に見合った、株価を受け入れる柔軟な姿勢があった。商社＝証券の投資のプロの常識では、将来性が不確かなスタートアップ・ベンチャーへの投資（Risk Money）は株価1ドルがせいぜいであった。（いまや時効ゆえ明かすと、筆者にはこの情報はある筋から寸前になって、密かにもたらされていた窮鼠猫を噛むの例である。小なりとはいえ、商材を失う会社に新製品の販売権を用意して社員の糊口を満たさなければならない、という〝より差し迫った事情〟が当方にはあったのである。）

夜の会場は代理店希望の多くの人でごった返していて、ようやく見つけたジョン・Hは、〝ミーティング希望なら受付台のノートに記入しといてくれ。担当責任者は、数日前に入社したCOOのビック・レーベンタール（Vic Leventhal）だ〟とすげない返事。ビックは以前のビジネスで某商社と関係があり悪い予感が脳裏をよぎり、半ばあきらめの情が走ったが、やっと順番が回ってきて部屋に通されたところ、そこにはビックと最近創業者として参加したPTCの前開発部長で技術担当EVPのマイク・ペイン (Michael (Mike) Payne) がいて、むしろ彼が交渉をリードした。幸いにも彼とはRASNA＝PTC蜜月の頃、Pro-Eの開発部長であった時にダラテックのコンベンションの顧客招待室 (Hospitality Suite) で親しく話したことがあり、顔見知りであった。彼の口から発せられたのは意外な内容であった。〝我々はクスコに決めたいのだが、そうできない理由がある。それはPTCとの取引があるからだ (MECHANICAのこと)。なぜなら当社は目下同社と法的係争中なので、その友好企業とは取引できないのだ。〟筆者は即座に応えて〝同社とは目下1千万ドルの仕入れがあるが、直ちに取引を断絶してソリッドワークスに切り換える〟彼即座に曰く、〝取引成立だ！ (Done deal !)〟ビックが〝クボタは株価$4と言っているが、もう50セント上乗せしてくれないか？〟筆者〝本社からの許可は$4であるが、筆者の一存で$4・50を了解する。〟以上で全ては決まった。金の卵誕生の瞬間であった (実際にはPTCとの取引高は、当時はそれよりはるかに小さな金額に縮小していた)。後から考えてみると、彼らは筆者と会う前にすでにクボタ本命、と決めていたのであろう。C・ファンデイラーの強い推薦、〝商社系の場合だと、他の商社を敵にまわすことになるが、その点クボタはメーカー系で中立なので大多数の代理店を傘下に収められる〟が効いたのかもしれぬ。

ＳＷＣとりわけＶＣにしても株式の第2次募集（Second Round）を控えて、具体的で実現可能なBusiness Planを提出し、ベンチャー投資に定評のあるクボタが積極姿勢を示しているのは、魅力であったはずである。（この時期クボタはコンピュータ事業からの撤退を大勢では決意していたのだが、子会社の事業を存続させるためには、少額の投資は厭わなかったのである。事実、これはクボタにとって最後のＩＴ投資となった。その後10年を経ずしてこの分野から全面撤退して、本業回帰することになる。クボタが必要投資金額全てを引き受ける〝と表明したら、他の第一次ラウンドのＶＣも〟〝シリコンバレーで数々のベンチャーに積極投資して成功を収めているクボタが投資するなら、自分たちも勝ち馬に乗ろう〟と、皆出資に参加して、都合1，000万ドルの増資資金が集まった。クボタの威光は〝東海岸では〟いまだ生きていたのである！

まさにＷｉｎ-Ｗｉｎの取引（Deal）であった。

（註1）ビックはテキサス州のテキサス大学オースティン校で機械工学を学んだ後ＩＢＭに勤め、順調に出世街道を歩んだ後、オートデスク最大の販売店、ＣＡＤソリューションのＣＥＯを勤めた後、ＳＷＣのＣＯＯに就任。業界では再販店網戦略（Channel Strategy）

の大家としての声望が高く、SWC加入後はその実力を存分に発揮して、世界大の販売網づくりのみならず、間接販売の徹底、斬新な価格政策、関連パートナーとの関係開発、サポート能力の醸成など、開発者と再販業者の緊密な関係の確立などセールス／マーケティング全般にわたる事業を展開、SWC成功の最大の立役者となった。これらの大業を成功に導いたのは、その業界での知見であるが、これを支えていたのはその人格、人を信頼しまた信頼され、誰からも愛されて業界に数えきれないばかりの知己を得る信頼関係づくりであった事を忘れてはならない。

成功への最大の寄与はその価格政策であった。Pro-Eの8割の機能をAutoCADの価格で、販売網を通じて大量販売を実現したことにある。そのアイデアは、ダラテックのチャールス・ファンデイラー社長の助言を取り入れた結果、ともいわれている。

彼の功績は後述するように、サブスクリプション(Subscription)戦略、戦略パートナーとの提携戦略の設立と実行でこれらの戦略が、ソリッドワークスの勝利を決定づけた。

そして、その社員に対しても、代理店、パートナーに対しても分け隔てなく接して友好関係を作り上げて、SWCに引き入れてしまう人格的魅力は、他の追随を許さなかった。

（註2）マイクはパラメトリック・テクノロジー（Parametric Technology = PTC）でＵｎｉｘベースのソリッドモデラー Pro-Engineer の開発部長であったが、ＣＥＯのスティーブ・ウォルスキー（Steve Walski）と衝突（おそらく彼の株価誘導最優先の経営方針に反対）して、部下数人を引き連れて創立間なしのＳＷＣに加入して、開発部長に就任。ＰＴＣはこの引き抜きに対抗してＳＷＣを提訴。筆者との交渉時に彼が述べたＰＴＣとの法的係争とはこのことを指している。マイクはロンドン育ちの英国人で、後日ＳＷＣがダッソー（Dassault）傘下になってしばらくして、グループのカーネル開発企業でケンブリッジでの開発を起源に持つＡＣＥＳで知られるスペイシャス・テクノロジー（Spacious Technology）社のＣＥＯとなるが、そのカーネル・ライセンス使用者であるオートデスクとの法的係争に敗れグループオーナーでダッソー社のＣＥＯベルナール・シャーレスと衝突して退社した。目下 Kinest 社を設立してＣＥＯ。

〈金の卵の孵化と成長〉

1．ソリッドワークス（ＳＷＣ）の誕生

以下に、この会社の成功の理念、戦略、具現化（Implementation）能力などの基幹要因を述べるが、それらを可能にした原動力の源はといえば、その第一は創業者を始め創業期の幹部達が全員この道ＣＡＤのプロ、それも天才といえる程の卓越せる才能を備えたプロ集

団であったことである。創業者のジョ・ハーシュティックとボブ・ズファンテはＭＩＴで設立され、デイビッド・ゴサードが所長を務めるCAD Labの優等生であった。ＣＡＤの開発には数学者が不可欠であるが、トミー・リー（Tommy Lee）が仲間におり、創業直後に開発の現場には直前までＰＴＣでソリッドモデラーの開発を指揮したマイク・ペインが加わり、その後チャネル・セール（代理店販売網）のプロとして、オートデスクの全米最大の販売代理店の会長だった、その後のわが人生の友、ビック・レーベンタールがＣＯＯとして加わりリーダーグループの骨組みは出来上がった。

しばらくして開発マーケティング・北米統括責任者としてジョン（Ｊｏｎ）の後継者として名ＣＥＯとなるジョン・マッケレニー（John McEleney）の加入を以て、幹部チームは完成した、以降このメンバー構成は変わることなく、会社の発展に偉大な貢献を果たすことになる。この卓越せる才能に満ちた経営チームが信頼関係を持続した歴史的事実こそが、成功の秘訣なのである。大多数のベンチャー企業はその逆で、幹部の離合集散が激しく、その結果経営方針や戦略が一貫性を欠いてしまうのがむしろ一般的である（その原因の多くはＶＣにあり、しばしば創業者やＣＥＯの独善による）ことを思うと、この会社の〝金の卵の孵化〟とその成長の在り方が他社とはまるで異質であったことが分かる。

2. クボタの資本参加とクスコによる日本再販事業の展開

クスコの歴史的評価を問われれば、〝小規模ながらユニークなエンジニアリングソフトを擁して、健全事業を営んでいた企業が、取扱商品が開発元の吸収合併により消滅して、突如として事業の、存続の危機に瀕していた際に撤退を択ばず、計らずも転がり込んできた好機を逃さず、手練手管でこれを手中に収め、経営戦力の充実と戦略の妙を得て、経営の基幹事業として業界の雄にまで育てた〟事は、我良く戦えりとしつつも、天恵なくして成しえないところであった。

当初の目論見は下記の通りであったが、実際の事業展開もほぼこの計画通りに進み、3年程で事業採算は黒字に転じることが出来た。前回のラズナの場合とは別世界であった。何よりも快適であったのは事業の順調に加えて、金の卵を求めて日本の販売代理権争奪戦に参加した業者が、クスコの傘下に主要代理店として加わり、その関係も良好に推移したことである。とりわけ構造計画の富野社長、CTCの後藤社長の庇護を得て、事業を推進できたことは、有難いことであった。開発元の首脳陣との人格的信頼関係にも支えられた事業の遂行は、何にも増して心地よいものであった。

この経営構造はもう少し長続きさせて、クスコの事業規模を一段と拡大しておきたかったのだが、当初の契約通り3年で終了して日本に於ける独占再販権はＳＷＣとクスコの合弁会社（ＫＫ）へと移行した。当初ビック と筆者の約束は〝俺とお前でこの会社を経営しよう〟ということだったから、合弁会社の持ち株比率は当然折半で合意していたのだが、親会社ダッソー（ＤＳ）のＣＦＯの強い要請によって40：60で押し切られてしまった。ＤＳが以前に日本でＩＢＭＪと設立した合弁会社ＣＡＤＡＭ Ｉｎｃ．は、50：50であったがゆえに意思決定に際してさんざん苦労したので、今回はその轍は踏みたくないのだという。ちなみにＩＢＭＪの当事者は筆者のＮＹＣ駐在以来の親しい友人で、彼によると、〝フランス人とのビジネスは米国人と異なり、妥協を一切しないのでまことにやりにくかった〟と別の話を伝え聞いている。

ちなみに合弁会社に至った経緯については、クスコ傘下の某大手特約店は、業界新顔のクスコよりもＳＷＣとの直取引を要望した妥協策だったとも聞き及んでいる。

金の卵をクスコや筆者が抱えて走り続けるには、器が小さすぎたのかもしれない。

〈SWC＝KUSCOの提携内容〉

出資　　　　　約4億円　約1百万株　@4・50ドル（註）

地域独占再販権　　日本

期間　　　7年間　独占　3年間　後4年間　非独占

クスコの戦略意図

エンジニアリング・ソフト業界の中核商品の、有力再販業者としての地位確保

エンジニアリング・ソフト再販＋サポート　CAE単一製品ー↓複数製品

OS、ハードウェアの業界トレンドへの対応　UNIX↓ウィンドウズ、

EWS↓PC

パッケージソフトの大衆化に伴う低価格化に対応して大量販売を実現（米国：

$3，900　日本：98万円）

販売計画の概略

'96	300本	3億円
'97	600本	6億円
'98	1，000本	10億円

(註) 商社系業者の提案株価@1ドルをSWCが受け入れると保有株数がクボタの4倍となりその支配力は格段居強くなってしまう。クボタ選定の有力な理由となったことは想像に難くない。

3. SWC事業成功の秘訣 その〝擬似人格的〟な経営構造と事業戦略

(1) 事業目的の明快さ

使いやすさ (Ease of Use)、値ごろ感 (Affordable Price) 3Dソリッドモデラーをエンジニア全員が使用 (Put 3D Solid Modeler on Every Engineer's Desktop)

＊日本に於ける急速な普及の理由に、発売当初からの日本語版の同時販売があった。

(2) コミュニティ内での、〝擬似人格的な紐帯関係〟の構築

開発者＋再販代理店＋戦略提携パートナー

(3) 開発戦略の内容: 基本が開発済みの最先端要素技術を、素早く具体的開発・編集

(a) 最速開発実現ために、最先端ITインフラを活用 (下記)

OS: ウィンドウズNT、ウィンドウズ95、Parasolid Kernel、画像ソフト、数学理 (D-Cube)

(b)　利用可能な最先端要素技術を最適に組み合わせ
ソリッドモデラー、画像、動画、Parts/Assembly, API, etc.

(c)　オープンシステム＋密結合による梃子の効果で、コミュニティユーザーを拡大
APIを通じる関連技術パートナーと連携の連鎖・幾何級数的な拡販を実現

(4)　販売チャネル戦略　間接販売に特化（VAR機能のコミュニティ内部への組み込み）
VARがベンダーの機能を分担　AE、サポート、ユーザーとの接点

(5)　価格戦略　値ごろ感、サブスクリプション・収入↓新たなビジネスモデルを構築
〝Pro-Engineer（Pro／E）の8割の性能をAutodeskの価格で！〟

4．SWCの資本戦略とマーケティング展開　その成功と桎梏

ダッソーとの資本提携とその背景

SWCはその製品＋戦略の卓越とユーザーからの要請への適合によって、時代の寵児の感があったが、ソリッドモデラーでIPOを果たし急成長する隣村Walthamのライバル

PTCのワイルドな買収戦略には脅威を感じていた。別の観点から同社に脅威を感じていたフランスの大手3DCADベンダーのダッソー・システムズ(Dassault Systemes)(DS)は、windowsベースの自社技術開発の遅れからSWCに接近、OEM契約を打診、交渉の過程で全面買収に至った。

詳細は不明だが、この買収劇の裏には下記の含みがあったとささやかれていた。

＊両社は経営の独自性を持続して、マーケットでの競合を極力避ける。

＊近い将来、SWCの未公開株を生かして、再上場を期す。

そして、その時はやってきた。1997年秋のことであった。

離合集散が突如として現出するのはこの業界の習いであるが、本合併劇実現の過程で大株主クボタの承認が必要であったことは、世間にあまり知られていない。

この合併話が秘密裏にして(英国人マイク・ペインの帰国を装って、帰路パリに立ち寄り交渉の場を持った、といわれている)あまりにも急激に進んだので、COOのビックがクボタのトップの承認を取り付けるべく急遽来日した時には、必要書類はほとんど揃っていなかった。クボタにとっては、

①投資先の変更による事業展開、および投資価値の見通し

②子会社クスコの再販事業の権利確保

などは最低限度押さえておくべき経営情報であったが、ＳＷＣはいまだ小規模のＶＢであり、親会社ＤＳは仏政府が株を大量保有する大企業にもかかわらず、子会社の財務部門はごく少人数による個人商店さながらの運営で、資料の準備など間に合わず、ビックの来日後にクボタのスタッフから要請される経営情報への回答がパリから順次Ｆａｘで返答されてきたが、クボタの満足を得るには程遠い代物であった。ついに時間切れとなって、ビックと筆者、それに本社の担当常務が本社の社長の三井康平と会見することになった。三井は財務部門の出身であるから、資料の不備は重々承知していたが、〝本件は妹尾君を信用して承認することにしよう〟、と言ってくれた。以前巨大プロジェクトの失敗の際にも助けられたことがあり、筆者に華を持たせようと配慮してくれてのことであろう。当時この会社ではリスクのある新しいな試みに対しても自由に挑戦させてくれ、結果失敗して随分と迷惑をかけたこともあったが、さしたる懲罰を受けることもなく、人材の育成に力点を置いた経営にずいぶん助けられた。停年退職の挨拶の折に筆者と一時期同じ部署で過ごした次期社長の土橋芳邦が『お前はこの会社でいつも時代の先端を行く事業に取り組んでくれたな』と労ってくれ、その慧眼に驚いた。日本の大企業は概して若い権限のない社員にも結構自由裁量を与えて、社内異動を通じて新しい事業環境へ適応させて、人材育成の一助とする習慣があるが、その恩恵に浴したわけである。

ビックもよほど嬉しかったと見え、大阪から帰京した夜、〝今夜の夕食は俺の奢りだ。いくら高くてもよい〝500ドルぐらいかかるがいいか?〟〝いいとも〟のノリで銀座No.1のイタリア料理店、エノテカ・ピンキオーリへ乗り込んで、最高の料理とワインを楽しんだ後、勘定書きを見てさすがのビックも目を丸くした。筆者が500ドルは一人当たり、と言うのを失念したと分かり、爆笑となった。今更ながら懐かしい想い出である。(このエピソードはSWC社内で有名になったらしく、ビックを偲ぶ会で、愛妻Dianeに促されて、Zoomへの参加者の前で披露させられた)。〝クボタのDSへの善意〟は、後日機械部門が基幹CADにCATIAを、PLMにENOVIAを採用するまで続いている。

(註)

a) コミュニティ

この概念はジョン・Hの発想になる基本理念であると同時に、隣村の先行ライバルであったPTC社の経営スタイルに対抗するアンチテーゼでもあった。

この用語はCAD業界ではSWCが初めて使用して広まり、今やIT業界でもちらほら見られるようになったが、歴史的には人間が共存・共同して社会生活を営む集団のことを指し、社会の発展段階に応じてその在り方も発展を遂げていく。（社会学の分野では、テンニースによる定義をＭ・ウェーバー流に分類した、血縁的結合を起点とする共同体Gemeinschaftと、地域的・機能的結合を起点とする共同体Gesellschaftの分類が有名だが、マルクスはこれを歴史的・地域的組み合わせによる経済社会の発展段階論として展開した。アジア型、欧州における古典古代（ラテイフンデウム）、中世封建社会（マルク共同体）、などである。これをエジプト・インド・ヨーロッパ、アジアなどの地域別伝統社会とその支配形態、都市・農村、職業分類なども包摂して包括的に展開したのがウェーバーの社会経済史と宗教社会学の体系である。遠く古代ユダヤに発し、原始キリスト教を経たピューリタニズムの伝統、これを受け継ぎ友愛精神に基づいた団体フェビアン協会などボランタリー・アソシエーション（Voluntary Association）という「近代の共同体」が築かれた歴史がある。これを「共同体論」として理念化して体系化したのは『共同体の基礎理論』を構築した大塚久雄である。奇しくも筆者の大学卒業論文（B.S. Thesis）は「共同体論」であった）。コミュニティの在り方によってその成員は幸福になったり不幸に陥ったりする。ＳＷＣは紛れもなく前者で、ラズナは残念ながら後者に分類されるのではあるまいか？

確かにこの概念は、人間生活の社会関係の在り方を企業同士の共存関係に適用したものであるが、現実にはこれを契機としてその成員同士に、地縁・血縁関係をも超えた人格的信頼関係に基づく、強固な紐帯関係「大家族」が形成され、その関係がＳＷＣを去った後までも連綿と継続されたことは特筆に値する。

b）ＡＰＩ（Application Program Interface）

特定のソフトウェアとインターフェースを取りたいアプリケーションソフトがデータ伝達・交換するために用意された標準プログラムのこと。

この機能を開発の初期段階で開発して、ＳＷとのインターフェースを希望するハードウェア、ＣＡＭ、解析、ＰＤＭなどのサードパーティに提供したことが、ＳＷを介して様々のソリューション・サービスを提供する事になって、ひいては顧客を幾何級数的に増やす結果を招くことになった。大切なのはＳＷの場合、ＣＡＤそのものが簡素で強靭な構造であったことに加えて、ＡＰＩの構造が他のパッケージソフトとインターフェースを取り易いようにオープンな構造に出来ていたことである。このオープンシステム構造こそがSWCが広範なパートナーを自陣に引き寄せて、ワンストップ・ソリューション（ユーザーの要望を一か所ですべて満たすソフトウェア）を実現させる戦略の基本になったといえる。

c) ゴールド・パートナー（Gold Partner）

APIを介したインターフェースによる一般サードパーティに対して、APIの内部にまで入り込んでより緊密性を強くした結合のデータ交換を行って、SWとの見かけと操作性（Look & Feel）を一致させた結合をしたパートナーのこと。これによって提携は緊密化し彼らとは連携関係となり、この戦略によってSWCのユーザーは幾何級数的な広がりを遂げることになった。

5. 販売代理店の構築：多数の有力販売代理店の結集

クスコの本分たる特約店網の形成には、再販代理権を巡って激しく競った候補のITベンダー、CAD再販大手企業すべてが名を連ねることになった。CTC、大塚商会、丸紅、日立製作所、NEC、日鉄ソリューションズである。かつて例を見ない強力な販売網が短期間に出来上がった。これは製品の卓越に加えて、クスコのCAD部隊に新規採用した幹部のCAD業界の人脈に負うところも大きかった。

しかし、何といっても最も大きな成果は、CAD再販業界の最大王手、大塚商会を（ライバルAuto CADとの併売とはいえ）仲間に引き入れたことである。これはクボタの人脈を辿って「再販業社の王者」大塚商会の実社長を口説き落とせた幸運に恵まれた賜物であった。後日、冒頭に述べたサードパーティーや3DにSWをOEM採用してくれた2DCADベンダーなどが続々SW陣営にはせ参じてくれて、質量ともに豊富な販売チャネルが出来上がった。時代を切り開く新技術とこれに呼応する周辺技術とその新時代を捉えて新たな設計・製造システムの創造にまい進するユーザーたちの共同作業の時代の波にうまく乗ったともいえよう。

(1) 価格戦略：斬新な「値ごろ感」価格の採用

米国では、PTC社の〝Pro／Eの8割の機能のソリッドモデラーを2D CADのオートデスク並みの価格、3,900ドルで大量に販売する〟戦略を採用し、日本もこれに倣った。この価格戦略を主導したのは勿論COOであるビック・レーベンタールであるが、当時CAD／CAM／CAE業界を対象とする調査会社ダラテックの社長、チャールス・ファンデイラー氏の助言を取り入れた、との説もある。

日本の場合、当時アプリケーションソフト（以下アプリ）はハードウェアより高価では売れ難いとの想定の下、当時のPC価格100万円をわずかに下回る98・5万円という破格な価格で発売した。これは四半世紀を経た今日数十回のバージョンアップを経た後でも変わっていない。ちなみにPro／Eの当時の販売価格は400万円であった。ユーザーや販売代理店に一旦約束したことを、数十年にわたって遵守し続ける開発者の一貫した姿勢は、コミュニティの信頼と一体感を醸成して、これが拡販へのエネルギーの源になった。その逆の行動を平然と繰り返して、挙句の果てに〝働くに素晴らしい場所〟(〝Great Place to Work〟)の標語とは裏腹に、IPOを「事業経営の最終目的」と宣言して、社員と会社を他社に売り飛ばしたラズナに在っては、経営者と社員、販売代理店との間に強い信頼関係など生じる術もなかった。

(2) 一貫した販売代理店網戦略(Channel Strategy)

米国に倣い、間接販売を徹底、クスコの顧客に対しても必ず代理店経由とした。これは、創業者CEOのジョン・Hの事業理念と深くかかわっている。すなわち、〝開発者と関連ソフトのパートナー、その両者を結合する再販業者は一心同体でなければならず、この三者はコミュニティを形成する〟。これを徹底するためには、一旦ベンダーのCEOが〝間接販売〟に徹する(＝〝直販は一切しない〟)と言ったからには、これを貫かなければならない。さもなければコミュニティ内部の信頼は揺らいで、これが一旦壊れたら、成員相互の信頼関係は二度と回復できないからである。半面、代理店は単にライセンスの再販業者に止まらず、開発と製品を良く理解して、開発者になり代わってその内容と意図を顧客に伝えなければならず、また顧客の希望を開発者に正しくフィードバックしなければならない。

(3) アプリベンダーとの戦略提携：APIを通じる梃の拡販効果

SWCはAPIを通じて2D CAD、CAM、解析、流体、などのアプリケーションソフトとのAPIによるインターフェースを通じて密結合（ゴールド）パートナーとの連携関係を拡大していく戦略をとった結果、梃子の効果が働いて、販売が多方面の用途に向けて加速していった。彼らはSWJの代理店ではないが、SWを自らのパッケージソフト（ソルバーSolver）のフロントとしてセット販売してくれたのである。その結果、SWCの拡販の加速に大いに貢献したのである。

(4) CAD販売部隊の独立：CAE部隊との組織の分離

クスコは従来CAE（解析）ソフトの再販会社であったが、顧客層と使用の本性が

CADと異なるので、〝多少の摩擦を覚悟の上で〟双方を独立した組織に分離した。

すなわち、CAD事業が製造業の製品開発の設計・開発という、顧客の死命を制するオンライン(日常)作業で販売期待数量も設計人数分あり、桁違いに大きい。CAD業界はいくつかのベンダーが割拠しており、分離・発展を遂げているものの、共通の業界を成しており、その集団からCAD要員を採用すると、顧客、代理店までもこちらに手繰り寄せる梃子の効果のようなメリットがあり、拡販に随分寄与してくれる思わぬ副次効果が得られることになった。そして、CAD事業立ち上げのクスコ時代の販売の主力は、彼ら新規加入のプロ集団に依るところが大きかった。

その先陣を切ったのが、ライバルのオートデスクを見切って入社したセールスの大豆生田明弘であり、セイコー電子からの金谷道雄であった。大豆生田は大塚商会との関係が長く、その立ち上げに絶大な功績が有った。金谷はクスコの取引先の社員であったので上司の希望を入れて1年間は兼務としようとしたが、本人が完全転籍を強く希望したので、了解を得てクスコ籍とした。それ以来今日に至るまでSWJでマーケティングを担当して、米国流のアプローチをよく日本に移植した。続いてCV/東京エレクトロン(TEL)から森田勉。彼は先述のクスコ顧問の野村幸信氏の強力な推薦によるもので、セールス部隊のヘッドとなった。森田にＣＡＭのエキスパートとして推薦された高田定憲はスタンレー電気で現場経験があり、ＣＡＤ／ＣＡＭの実務に長けておりPre-Salesのマネージャーとして腕を振るったが、暫くして退社して。独立事業者として成功を収めた。牧野フライスへの２００本の大量導入は彼のユーザートップとの関係で実現された。設計現場におけるＣＡＤ導入・稼働実現指導への信頼によるものであった。代理店のPre-Sales人員の育成は立ち上げ時には不可欠で、彼の功績は絶大であった。それでも初めから順風万般とはいかず、高田が曰く、大口ユーザーが6社に達したら、このＣＡＤも業界で橋頭保を築けるのに、と。

彼らがＳＷＪの社員番号の一桁世代だが、忘れてならないのは、ＣＡＥ時代に三菱原子力工業からクスコに入社して、ＳＷＪ分離時にそちらに転籍させた小林明が居る。ＳＷの理論を深く理解して、的確なサポート体制を作って技術部長として信頼に値するエンジニアリング部隊をまとめ上げた。彼の従兄で重要幹部として経理・総務担当部長を務めたのが中村英昭である。彼は外資企業の経理担当を長年務め米国式会計USGAPにも通暁しており、学生時代からの英語の達人であった。経理マンの常としてdisciplineに厳しく〝外資流〟で安易に流れやすい社員（とりわけセールス・マーケティング、時にＣＥＯ）の放縦に流れ気味な業務スタイルを戒め経営の要石の役割を担った。その決算には資本家からも全幅の信頼が寄せられていた。

実は、ＳＷ立ち上げ期からＳＷＪ初期にかけて、トップマネージメントの応募者で優秀な人材に溢れていたが、後日ＣＥＯなどで参加した人材も居る。ダッソージャパンのＣＥＯ鍛冶屋清二、ＳＷＪのＣＥＯを務めた山崎究などである。

初期の大手ユーザーで思い浮かぶのは次の会社である。

牧野フライス、住友重機械工業、アマダ、山崎マザーク、日立製作（大口ユーザー＋ＯＥＭサプライヤー＋代理店）、九州松下、鳥取三洋電機、アルプス電気などである。

高田の言う通り、６社に達してから後の普及は急速に進んでいった。

マーケティングの理論にＣＨＡＳＭと言うのが有り、初期ユーザーから大量ユーザーに到達するまでには大きな谷間が有るという理論なのだが、ＳＷの場合でも採用初期にはイノベーター（革新者）といってその価値をいち早く気づいてその効用を社内に示す人、社内を説得して本格仕様の先導役を果たすEarly Adapter（先駆者）と呼ばれる人、これに続くEarly Majority（早期購買多数層）それを見て大勢に乗る人、Late Majority（追随者）と呼ばれる人たちである。確かに後から振り返ると成功の連続であったように見えて、その実初期の頃にソリッドモデラーを自社の設計の主力に据えようというのは、当時としてはとてつもなく勇気の要る事であった。だからこそ彼ら時代に先駆けて早く目覚めた人々はユーザー会などを通じて、インター・カンパニーのCommunityを作って、互いに支え合ったのである。

このChasmを乗り越えて大成功をもたらした過程で、起業間なしのSWに飛び込んできた彼らの勇気と勤勉な努力なしにはあり得なかった。

それに比べて、今日のユーザーに見られる傾向として、以前とは異なり、上司も同僚もそれなりのIT知識が有り、採用を支えるITインフラも整っている。今日の日本の今日周回遅れのガラパゴスに陥っているのは、当事者意識と自らが新しいテクノロジーと同化して、パラダイムシフトに挑戦する精神を欠くからではないであろうか？

他方CAEは製品の成分形成や品質保証という開発の中枢を担う役割を果たし、高度な工学理論的根拠に裏付けられているので、これを担当するエンジニアは高学歴でプライドが高いが、その割には組織の中で孤立している人が多かった。しかも現実にはその診断は故障や事故が起こった〝事後に〟実行されることが多く、オフライン（非日常）作業として扱われていた。しかも販売数量も部門当たり1本単位と少量であった。CAE部隊の代理店戦略（Channel Strategy）が直販と代理店販売の併売方式を採用していたことに対して、SWCは代理店販売方式を徹底して貫いた。間接販売だと倍額の利益が得られるので、開発者は常にその誘惑に駆られる。その代償としての代理店との一体感が失われるのは避けられない。PTCやDassaultの直販への転換（＝代理店付加価値の取り込み）によって販売代理店の信頼が著しく損なわれたことは業界の周知の事実である。

このように製品の技術の本質が抱える根本的な差異が、ユーザーと売り手の本性にも及び、これが組織の反目へと繋がっており、遂には会社の分裂にまで進展してしまったのは、何とも残念なことであった。

6．SWJの事業展開

SWJの実際の事業展開は、企業理念や時代にマッチしたポリシー・戦略の確かさ、卓越した遅滞なき開発能力に基づいて、総体としては大成功を収めたといえるが、日常の業務展開としては、山あり谷ありで困難に遭遇したことも一再ならず経験した。その多くは外国製品再販に伴う開発元との対話不足（communication gap）であり、外資系ベンチャーとりわけ幹部社員にありがちな日本企業では常識として身についている規律（discipline）あるいはコンプライアンスの認識の違いから生じる問題である。

そのような企業文化の違い（Culture Gap）から生じる運営の混乱を避けるため、販売網や経営管理体制はすでに整っていたので、急激な運営の変化を避けてＳＷＣ文化に順応すべく、ビックとの合意の下、ＣＥＯには日本のブランド企業の前ロンドン支店長を採用した。

しかしながら、日米間の事業運営の組織・階層間行動の落差は大きく、運営上の不協和音は避けられなかった。日本大企業の縛りがなくなると、急激に拡大した高収益の環境下で経費予算が有れば全額費消してしまうような、規律の緩みに傾斜するうらみが見られた。

組織間の分業体制も異なっている。例えば日本の会社では、営業部門は受注、出荷、請求、入金まで一貫して責任を負い、入金以降の経理処理責任を経理、資金部門が負うのが一般的である。一方、外資系企業では営業部門の責任は受注までであり、客先への出荷業務はオーダー・プロセス（ＯＰ）部門が担い、入金業務は売掛金回収部門（Credit Department）の責任となっている。恐らく出入りが激しくて規律に欠ける気味のあるセールス・パーソンには金にタッチさせず、経営者の目の届く本社の与信部門に統制させてキャッシュフローの厳密な管理をしているのであろう。

外資系企業で顕著なのは、マーケティングとセールスの区分が概念もアプローチも分離していることである。組織の大きな括りとしては一体なのだが、日常の業務としては引き合い取得までのプロセスと、販売のための顧客への接触が原理的に分かれており、近年は実務上もそのように運営されているのが一般化しつつある。コロナ禍の状態が長期化する環境下にあって、引き合い取得の自動化Market Automation（MA）などのアメリカ生まれの手法の実行が急激に広がりつつある。

＊社員の流動性が激しく、雇用形態も不定期社員やセールス・代理人（Sales Rep）など様々な米国企業に在っては、終身雇用の伝統が根強く社員共同体の色が濃い日本企業のように、組織や時間を超えて事業運営の情報が共有されることは稀である。企業にとって重要な情報とその繋がりは、専ら管理職の手に握られており、マーケティングソフト・システムはそのような目的で開発・運用されている。米国企業にあっては事業運営や経営情報とは管理職のものであって、担当者と共有する道具ではない。米国生まれの管理システムが、日本企業の手法として中々根付かない理由は、この企業文化の落差に根差しているといえよう。

このような企業文化の落差は、部門間での不正を防ぐ一方、日常の事業実態の把握が難しくなる。反面組織の上層に行くほど権限が集中してくるので、幹部の規律に隙間が生じると帳簿では判じにくい不正が生じ易くなる欠陥を有する。とりわけベンチャーにおいては成長志向が強烈で、本社からのノルマ（Quota）の要求も厳しく、それが個人の報酬（インセンティブ）にも直結しており、場合によっては首につながることであるだけに、不正の誘惑にかられるのである。まして本社の幹部も関わっている場合には、企業全体の不正に及ぶこともあるのである。筆者が知る限りでも、日本にある外資系企業でこのようなケースをしばしば垣間見てきた。

ＳＷＪとてもその例外を免れなかった事実も以下に記してある。

しかし幸いにして、その経営姿勢（Management Style）は実に厳格な保守主義が貫かれていた。自らに課したその会計原則に則して会社の数字を実現していたのだから、経営実態の堅牢さは保証されていたといえよう。

すでに述べたように、ＳＷＣの日本に於ける事業形態は、当初のクスコによる独占販売権の時代（１９９５年末〜１９９８年末）からＳＷＣ（60％）・クスコ（40％）の合弁事業時代（１９９９年初〜２００４年末）へ（この間にＳＷＣはダッソー社の完全子会社となる）、そしてＳＷＣ１００％子会社の時代へと引き継がれていって今日に至っている。

筆者が初めにクスコの社長として、次にＳＷＪの初代と2代目、３代目の社長の選定にビックやジョニー・マック（John McEleney, Johnny Mc）などSWCのトップと共に関わり、繋ぎの期間の臨時社長（Interim CEO）としてもその間を通じて社外取締役であり続けた。そして、SWCの二代目CEOジョニー・マックが去った直後、SWJの取締役会が解散になり、会社との縁は切れた。

＊筆者が臨時社長を務めたのには、企業の成長していく過程で乗り越えなければならない、規律の問題や、販売代理店網方針、日米間のマーケティング・セールスの方法に関する落差の問題の解決を迫られた局面に際しての米国本社のトップの要請によるものであった。筆者はSWCにとってSWJ経営健全化のための、いわば〝最後の砦〟(Last Resort) の役割を引き受けてきた訳である（ビック夫人ダイアンは〝Last〟ではなく〝First Choice〟だと持ち上げてくれたが）。

〈クスコ、SWC＋クスコ、SWJの事業実績〉

筆者が日本のSW事業の根幹に携わってきたのは10年間で、以下の三つの時代に分かれる。

1) クスコ時代　１９９６～１９９８年
2) SWJ時代　第一期　１９９９～２００２年
3) SWJ時代　第二期　２００３～２００５年

以下の記録は概略の経営数字の推移であるが、筆者の手元に残る限られた資料と、記憶に頼るもので細部に齟齬があるのは免れないが、大勢において大きな差異は見られないものと思われる。

一見して明らかなのは、この事業の驚くべきスタートダッシュとその後の高成長・高収益である。途中成長が一時的に鈍化したこともあり、業界の悪習への汚染を発見した局面では矯正を断行した。それが心ならずも社長交代に至る結果となったが、押しなべて高度成長と安定経営を兼ね備えた、〝超〟優良企業であった。

(クスコ時代)

	1995	1996	1997	1998	
売上金額	122	335	500	900	
本数	0	300	600	900	
粗利	0	171	250		

単位 百万円

(註) この期間クスコは従来CAE商品との混成事業のため、部門別経費の割掛を厳密に配分出来ていないため、粗利の計上も概算に留まる。

この期間のクスコの事業経営の特色は以下の通りである。

①3年間のCADの販売実績は、当初SWCに提出した計画をほぼ達成

②CAEの売り上げも堅調で、97年まではCAD売り上げを凌駕していたが、98年に至りCADが大幅に上回った。クスコは10億円を上回る売り上げ規模の企業に成長、最盛期を謳歌した。

（註）確か'97年度であったと記憶しているが、ある日日本を代表する信用調査会社が訪ねて来て、クスコは利益においてクボタグループ子会社のベスト5に入っていると告げられた。他の大手企業に比し子会社の数が極端に少ない会社とはいえ、従業員50人に満たない小企業がまさかと耳を疑った。しかし主力の農業機械は内外共に大不況の最中にあり、本社の採算維持のため販売子会社は大量の（不良）在庫を抱えており、実質赤字経営であった。住宅関連産業も同様で子会社は殆ど赤字経営に陥っていたのである。（当時は米国式会計制度が導入されていなかったので、本社による子会社や販売店への押し込み販売が出来た時代であった）一説ではその額は50億円を超えていたという。

そういえば本社の管理担当役員が〝農業機械部門はあれだけの資本と数千人の人員を抱えながら、利益ゼロ（実質は大幅赤字）とは何事か！〟と活を入れていたのが思い出される。〝ハコテン〟に陥ってお先真っ暗だった、5〜6年前の地獄に比すれば、まさに別世界の感があった。

③SWの再販売権取得に伴い、次世代のCADとの連携を求めて、解析、CAMなどのアプリ主要ベンダーが競って販売提携を求めてきた。Moldflow（樹脂流動解析）、ANSYS、COSMOS（構造解析）、Master CAM, CAE Solution, CAM Works（CAM）等多数あり、中にはウィンドウズ版の総販売権供与を条件にクスコとの提携

申し入れもあった。筆者は競合とはいえ、国内の代理店が営々と築いてきた販権を一部とはいえ横取りするのは商道徳に反するとして、丁重にお断りした。今にして想うに、後に現れるPDM／PLMも含めてSWを軸としてCAD／CAM／CAE Solutionのシステムプロバイダーに成長する芽を摘んでしまったのではないか、というIT事業経営者としての先見性のなさを恥じている。

ともあれクスコの全盛期を享受した、経営者として最良の瞬間であった。

④従来のクスコの絶対的主力商品たるラズナのMECHANICAの代替となる構造解析CAEとして、同一数学理に基づくウィンドウズ版を業界トップの老舗で宿敵のMSC社に資金供与して開発を依頼した。製品は機能的には出来上がったのだが、営業サイドから、〝これではクスコの売りの〟、使いやすさ〝(Easy to Use)で一般エンジニア向け〟商品の魅力に欠ける、としてお蔵入りとなってしまった。

それにしても開発過程で垣間見た、老舗の〝保守に懲り固まった社風〟には驚きを禁じ得なかった。開発の幹部が筆者に次のように話しかけてきた。〝私には最近流行りの「使いやすさ」の意味がよく分からない。およそNastran（NASAで1960年のアポロ計画の時に開発された構造解析ソフトを民生化したもの）を使うほどのユーザーはFEAの理論はもとより、高度なコンピュータとソフトウェアも自在に扱えるのが大前提ではないのかね？「使いやすさ」が販売の条件になるなど考えられない〟（〝I cannot understand current wording of Ease of Use〟と真顔で言うのである。MSCのNastranの顧客はNASA,DOD（国防省）、自動車ビッグスリーなどの高級ユーザーが多く安定収入があって、大衆路線を歩む必要性を感じなかったのであろう。しかし、足元はラズナはじめミッドレンジのベンダーによって突き崩されつつあったのである。これはかつてDECの創業者Ken Olsenが、EWSの開発者Sun Microの若い創業者が買却を提案してきた時に、彼が投げつけた言葉と瓜二つである。後日、ミニコンピュータベンダーのヒーロー、DECは新興パソコンベンダーのコンパックに買収される憂き目に遭うのである。そしてMSCはNastranのPre-ProcesserのベンダーPDAを吸収合併し、そのCEOトム・カレー（Tom Curry）を自社のCEOに据えた。彼は開発偏重のMSCをマーケティング主導の会社に生まれ変わらせようとして尽力したが、株価を向上できなかったとの理由で退任を余儀なくされた。後任にはMIT出のエンジニアながら、株価浮揚第一主義の男が就任した。彼は同社をウィンドウズPCをベースとした、当時流行りのインターネット企業として宣伝する一方、Nastranファミリー企業を買収して株価を吊り上げ、その事実を誇って証券市場（NSC）の記者会見で公言したため、独占禁止法違反の嫌疑をかけられて、MSC Nastranのソースコードを公開させられ、これが競合相手のUGSに渡ったため、従来のユーザーも離反していった。この結果、スウェーデンの製造自動化システム大手企業Hexagonに吸収合併されるという結末を迎えることになった。

今ひとつの驚きは、CAEトップのベンダーにウィンドウズを知る開発エンジニアが皆無だったことである。これが折角開発した商品の魅力を台無しにしてしまったのである。

このようなことは老舗企業にも有りがちなことで、かつてのダッソーも例外ではなかった。同社がウィンドウズが契機となってSWCと合体したことはすでに述べたところである。解析ソフトに於いても内製ソフトの評価が低く、ユーザーの本田にはNASTRANとCATIAのインターフェースを要求される有様であった。そこでCOSMOSを買収したのだが、おそらくMSCと同様社内の抵抗に遭って挫折を余儀なくされたのであろう。仕方なくグループのSWCに開発連携を付託した。SWCは両者を密結合させて、設計者の年来の夢であった設計における半自動的事前解析システムを開発して、設計時における応力解析による品質保証を行うというCAD/CAEの同期化システムという画期的な市場の開拓（Synthesis）に成功したのである。SWCはこれを起点としてPDM／PLMソフトとも密結合して、遂には設計・製造の統合システム（″SWシミュレーション″と称して）の提供者へと発展していったのである。

自らの技術に固執して、新たな時代に適応できない企業と、ユーザーの要望を先取りして新しいテクノロジーで新たな市場の創出に成功する企業、更には自らは従来型テクノロジーの維持者であっても、新たな時代の開拓者を取り込んで自らを蘇生させて発展していく企業の歴史展開の差をこの目で見られたのは幸いであった。

（註）CAD／CAE／CAMが元来一体化したソリューション・システムであるべきというのは、ジョン・Hの創業時以来の信念であった。それゆえに彼は当初コスモスとCAMWorksの密結合を開発しかけていた。それが筆者を始め他の幹却からの反対に遭遇して中断していた。業界の主要アプリ全てと連携して梃子の効果による販売の拡大を目論む方が有利との判断からであった。この二つのパッケージ・ソフトとの密結合は後日実現されることになったが、改めてジョン・Hの魘眼の程が窺える。

（SWJ時代－I）

	売上金額（百万円）	売り上げ本数（本）	税引き前利益（PBT）	キャッシュフロー
1999	854	2,600	72	218
2000	1,581	3,250	108	318
2001	2,273	2,885	142	743
2002	2,330		130	909

この指標を見て、数字にお強い方はすぐにお気づきになる事と思うが、二、三付記しておく。

①クスコによる3年間にわたる広告宣伝などマーケティング活動と販売網と技術サポートなど、事業活動の基盤を整えた後、合弁会社体制に移行後も驚異的高成長と同時に高収

益を実現している。

②この間ＳＷＣも北米、欧州全域で急成長を実現しており、１９９８年で50億円程度であった売り上げが、３年後の２００１年では１００億円をはるかに凌駕する一億ドル企業に達した。この間を通じて、日本を中心とするアジア・パシフィック地域の全世界に対する売上比率は15％程度であり、ハードウェアも含めたＩＴ関連企業に比べてもその貢献度に於いて遜色はない。むしろ日本（ＳＷＪ）を連結（consolidated）、ＳＷＣへの売り上げ、利益貢献度は大幅に上昇したはずである。

③一般にＶＢは創業当初は赤字採算で、多額の資本金や借入金で埋め合わせすることが多いが、この会社は最初から、米国会計の基本財務指標である、貸借対照表（Ｂ／Ｓ）、損益計算表（Ｐ／Ｌ）、Cash Flow の全てにわたって抜群に優れており、株主からの追加投資や借入・信用供与は一切必要としなかった（それでも合弁会社時代、クボタは富士銀行からの借り入れ枠で信用を供与）。

後日、信用供与はむしろ逆方向でなされた、という親孝行息子企業であったし、その後もそうあり続けたのである。

④高収益率と併せてひときわ目を引くのがキャッシュフローの豊富さである。その他の

B／S指標を列記すれば一目瞭然であるのだが、この秘密は価格政策のところで触れておいたが、ソフトウェアのライセンスを安く設定する代わりに、サブスクリプションという名目で従来より大幅に高い20％の使用料兼保守料を購買と同時に課金しているので、販売の累計本数が増してくるに従って、膨大なキャッシュフローを捻出することになる。しかも会計法上はその収入の1／12分しか月次で売り上げ計上されず、残額は前受金として負債勘定に計上されるので、利益の過少計上分だけ節税効果も享受できるのである。これはビジネスモデルの勝利といえるが、この方式は客先の財務上も好都合なので、最近はCloudサービスなどの利用客では一般化しつつある。

事実、ジョンHとジョンM他SWCの幹部が、後日起業したCloud CADベースの新会社〝Onshape〟はこのサブスクリプション方式を創業当初から採用しており、今や多くの他社や異業種もこれに倣っている。この課金方式は企業収入モデルのトレンドとなった感がある。

⑤SWJの経営を全体としてみると、ポリシーと戦略が正鵠を得たことに基づく成功物語に映るが、事業経営の実際は順調一筋であった訳ではなく、外資系企業特有の、いや、企業経営一般に潜む「粉飾」の罠からも自由であった訳ではない。

⑥上記の〝絶好調〟に見えた業績も、2002年に至って売り上げの急速な鈍化―↓減少と在庫の急増、利益の急減という屈折点に見舞われた。在庫の急増はSWJのみならず、大手再販会社にも顕著にみられ、これが営業と経営トップによる再販会社との「裏取引」の結果であることが取締役会の調査の結果発覚して、社長更迭となった。

この類の不祥事は経営者の犯罪であって許されることではないが、実は外資系企業では業績不振に陥った際にまま発生する事象であり、本社の監査によって初めて発覚することが多い。中には本社の役員や経営者と子会社の社長が結託して闇取引して、本社の社長の交代時に発覚して、子会社の社長も一蓮托生となる場合もある。

この類の不祥事はメーカーと特約店の間の取引で、帳簿に現れない水面下の取引（簿外の貸し借り）として処理されていたが、2001年米国でエンロン社の不正取引が公表されて以降、米国会計法上、エンドユーザーの手に渡っていない特約店在庫は、メーカーの売り上げに計上してはならない、という厳しい会計規則として法制化されている。

SWCは財務処理に於いて最も保守的な原則を採用しているが、それでも上記に見る好決算を持続していることは、事業の健全性を表している。

(2) SWJ時代――II　2003〜2005年

	2002	2003	2004	2005
売上金額（百万円）	2,330	2,748	3,460	3,810
売上本数（本）	2,885	4,000	4,330	5,100
＊（注）内1，000本前後はOEM、外数として5，000本前後の教育向け				
税引き前利益（PBT）	130	525	587	579
キャッシュフロー	910	1,289		

この時代の進展の内容と意義を、ジョンHが2005年に日本で行った講演の言葉を借りて以下に記す。

①SWCの発売は、英語版と日本語版のみから始まった。
②1995年の初版からの約束通り、年2回バージョンアップ（Enhancement＝14回のMajor Release）を実行
③400,000ユーザーを獲得、世界中で4,500社による教育向け再販事業を展開
④日本の独占再販会社として、1998年にSWCとクスコの合弁会社SWJを設立
⑤クスコはSWJの強力パートナーとして、再販事業も継続
⑥2003年での2DCAD：3DCAD比率62％：38％が、2005年には49％：51％に逆転
⑦SWはパーフォーマンス、信頼度、データ変換、作図機能、使いやすさ、幾何形状モデリングいずれにおいても一流の実用3D CADの地位を確立した。
⑧将来に向けて、解析、PDM, e- Drawing, DWG, Editorなどの開発を継続していく。
⑨SWはCAD機能に始まり、あらゆる分野の製品開発の改善のためのエンジニアリングの道具へと、開発の重点を発展させていく。
⑩SWは製品開発を安易かつ速やかに実現するためにあらゆる技術者の道具となる。

その事業展開の中身を、この時代のＳＷＪの経営を主導した二代目社長臼井冬彦氏の方針と実績に焦点を当てて眺めてみよう。

彼の選任が、彼のクボタに於ける以前からのＩＴ関連事業への関わりからして、その方面からの意向によるものと思う向きもあろうがそうではない。実はビックの知り合いのヘッド・ハンターと彼が米国のビジネススクールのクラスメートであったという縁で応募してきたもので、筆者もビックも実のところ驚いた。彼は関西のトップ企業の一つクボタに最優秀の成績で入社した、将来の幹部を約束された人材だったが、農業機械事業という軍隊的組織的な風土に馴染めず、海外、ＩＴ部門へと移り投資先の選別及び投資先の経営指導経験も有する、〝Over Qualified〟＝過剰スペックな人材であった。

経営者としての彼の実力と経歴をもってすれば、より大きな有名企業幹部への就職チャンスもあったはずだが、ＳＷＣには投資以来関わった思い入れがあり、経営陣にも馴染みがあったので応募したのだと言う。本当のところは、彼の卓越した洞察力がこの会社の将来性を、いち早く感知していたのかもしれない。

彼の功績を思いつくままに列記する。

①営業、技術などの分野で、〝業界人〟に限らず、人材を広く採用

第一期がＣＡＤ業界から採用された〝業界人〟によって主導されて、短期間に素早い事業の立ち上がりが実現されたのは事実である。〝業界人〟は以前からの出身母体に由来する仲間意識に根差した人間関係と、特定の販売代理店やユーザーとの緊密なネットワークを利して、販売網づくりの橋頭堡と売り上げ実績づくりの早期確保に貢献するからである。このように仲間が群れを成して移動する現象は外資系企業、特に経営者が交代した時にしばしばみられる現象であるが、この風習が逆作用して事業の発展を妨げる場合もある。〝業界人の閉鎖的仲間意識〟が会社の中に独立したグループを作り出して、全体の意思疎通を阻害して経営方針や戦略の徹底を阻害するのみでなく、特定の販売代理店と特殊な関係に陥る弊害が生じることがままあるからである。

臼井は米国のベンチャー経営の経験もあり、早くからその弊害に気づいており、時間をかけてこれを解消していった（業界人による〝排除〟の弊害はままあり後述する）。

②販売代理店勢力地図を一強体制から数社競合体制に誘導

絶対多数のＳＭＢ（中小企業）を主要ターゲットとする営業スタイルにあっては、

大量の販売員という手足を有する大塚商会の販売力は群を抜いている。その基本戦略は、取扱商品のマーケットシェアで首位を占めて、メーカー仕切りの値引き率トップを獲得して、販売代理店同士の競合で勝って値引き率の差をさらに広げて販売代理店間の競争を勝ち抜いて、断トツの首位を堅持して、究極においてメーカーの戦略に多大な影響力を行使するに至る、というものである。広告宣伝活動への協賛、サポート支援の要求はもとより、メーカーにとっての最大の打撃は値引き率の拡大による利益率（ＡＰＳ）の逓減である。

更に2位以下の販売代理店のやる気を削いで、結果的に全体の売上が逓減してしまうことである。

臼井はこれを防ぐべく、日立やＣＴＣなどの販売代理店間シェア向上を意図的に画策したが、大塚との緊張が増した割には効果が挙がらず、却って支配の終焉に至ってしまった。この戦略の失敗は、ＣＥＯとセールスのトップが二人共クボタの出身で、彼らが親しんできた販売代理店戦略（Distribution Channel Strategy）のモデルは、日本の農業機械や自動車・家電などの〝地域独占型・単一メーカー商品販売型〟特約店販売網戦略にあり、その基本はいずれもメーカーが主力特約販売店に資本を投入して築き上げたもので、メーカー主導色の強いものであった。彼らは、販売力、サポートともに代理店のパワーが強い業界に於いては両者の力関係が異なる、という理解を欠いていたのかもしれない。

③将来の3D CADの普及、マーケティング・シェアの拡大に向って、アカデミック版の大々的な普及

学生に対する販売数量は膨大で、将来のユーザーを育てるという意味から、米国では無料に近い価格（百ドル程度）で配布していたが、日本ではなぜか再販業者が本社には内緒で定価の25％程度に値上げして販売して、アカデミック版特有の大量集中購買を利して法外な利益を享受する悪習があった。

臼井はこの分野に〝米国流〟を採用して、超低価格のアカデミック版を大量に配布した。学校側の予算は一定であるゆえ、販売数量は一気に25倍に増えることになり、膨大な数のSWが世にあふれることになり（通常製品版とほぼ同数）、これが数年経ってからユーザーになって返ってきたのである。マーケティングでいうユーザーの〝育成〟を実現したわけになる。日本の悪しき商慣習を、ビジネススクール仕込みの合理主義で一気に打破した好例である。

④社内の業務ルール、経理基準など、コンプライアンス、規律の強化

臼井は経理マンではなかったが、ＩＴ部門に移って以来、投資および投資先の経営管理に関わるようになり、持ち前の明晰な頭脳を生かして、経営指標はもとより個別取引の適正・評価できる能力を有していたので、会社法に則った厳しい経営を実践した。前任者による疑わしき経理処理を是正して、初年度の業績は減収・減益を余儀なくされた。そして、外資出身者同志のややもすると乱れがちな規律を正した。これは米国企業で一般的な、翌年以降の飛躍への踏み台（Spring Board）となった。

⑤業績の停滞と、日米のMarketing・経営Styleの確執

臼井社長による上記の経営の立て直しとマーケティング戦略の革新によって、業績は著しく拡大したものの２００５年に至って、再び高止まり現象に見舞われることとなり、トップ再販会社との確執に止まらず、米国本社とマーケティング戦略とその実行を巡るカルチャー・ギャップが顕在化し、遂に社長交代に至った（註１、２、３）。

事業の根幹に関わるギャップの中身とは

(1)　トップ再販会社とは勿論大塚商会である。ＳＷＪ首脳は同社の圧倒的市場支配率を減少させるべく、対抗馬を育成する様々な施策を講じたが、実効を得られず却って大塚の反発を招き、遂に社内のＳＷ販売員を減らしてライバルのオートデスクに振り替える瀬戸際まで緊迫した状況に至った。ＳＷＣも当初は取り合わなかったが、遂に大塚との和解に転じこの大方針は次期社長（飯田晴祥）に引き継がれるところとなった（この決定は日本側取締役＝筆者とビックが主導して実行された）。

(2)　再販会社網戦略の問題は代理店間のガリバー型寡占状態に止まらず、流通の複層構造にある。客先に到達するまでに、一次店の下に二次、三次さらにその先と流通網が連なっているのが日本の販売チャンネル構造の特徴であり問題点である。これでは客先の市場の実態を覗い知るべくもない。売り上げが頭を打っても、どこに原因があるのかＳＷＪは把握できなくなってきていた。一番困るのは受注予測で、ＳＷＪの担当は勿論、大塚商会も含む一次店ですら当月売上の見込みが立たないことであった。これでは経営計画など立てようがない。翻ってジョニー・マック率いるＳＷＣの北米では、受注予測は毎日立てられており、結果との精度も著しく向上していた。

(3)　このようなＳＷＪの停滞の原因と対策の不可知状態に対して、業を煮やしたＳＷＣは遂に米国流のマーケティング手法の導入を強く迫ってきた。これに対する両名は、両国間の商習慣のギャップは日本側の経営に任せてほしいと突っぱねた。

米国側要求の中身とは、

(a)　ＳＷＪによるエンドユーザー・リード（引き合い）の直接捕獲アプローチ
　多数のインサイド・セールスによる電話による売り込み活動
（Tel Marketing によるリーズの獲得）→リーズを販売代理店に配布

(b)　全国を地域別に分割、地域ごとに販売代理店を設立して独占販売権を与える。

(c)　日米間ギャップ解消のため、米国人スタッフを日本に駐在させて、情報交換創業当初は、筆頭株主でもあったクボタに対しては、このような「押し付け」などは考えられなかったが、資本関係が１００％支配ともなるとやむなしでる。しかし、外資の傘下や合弁会社の経営にこのようにカルチャー・ギャップに根差す経営権の争いは付きもので、ＩＢＭとＩＢＭ-Ｊの間はその繰り返しの歴史であった。

（註１）

ＳＷＪを去った後、臼井は〝日本産業の未来は観光にあり〟と唱え、その分野で卓越する北海道大学の修士コースで観光学を修めた。修了に際して指導教授から強く勧められて、博士号も取得したと聞き及ぶ。（論文博士？）彼の並外れた頭脳からすれば、むべなるかなである。彼の優秀さは、当時未だ観光業の国民経済レベルでの大発展に大多数の人々が気づいていないときに、これを5～10年先取りして、系統立てて学習したことに現れている。豊富なベンチャー事業経営の経験と、そこから得た潤沢な個人資産に加えて実学の知識に支えられた彼は、正に『新世界』の只中で、長年望み続けた「自由人」としての生をいまや享受しているに違いない。

（註２）

これはインサイド・セールスによる電話やＤＭ、広告媒体を通じてエンドユーザーに幅広くコンタクトして潜在ニーズを掘り起こし、その情報を自社のセールスや代理店に配布して拡販を図るという、米国で開発され一般化したマーケティング手法である。当時の日本では、大衆消費財を除いては一般化していなかった。米国ではコンベンションの個所でも触れておいたが、エンドユーザーの情報が業界別、地域別、ユーザー別に実によく整備されており、書店で販売されているほどなので、このようなマーケティング手法が実行可能となる。ちなみにＣＡＤのユーザーは機械系エンジニアであるが、Dun & Bradstreet 誌（日本ではダンレポとして知られている）を紐解けば、全国の対象者は捕獲できる。

ＳＷＣではインサイド・セールス数十名を雇って、彼らに朝から晩までリストを頼りに電話を掛けまくらせているのである。後述のようにＳＷＪでも帝国データバンクの資料を頼りに、リーズの発掘に勤しんでいるという。今日では販売代理店にも重宝がられて、日常集客ツールとして利用されている。ここにマーケティングリード（引き合い）の獲得と、セールスは分離して機能しており、生産性の著しい向上を実現したのである。日米の企業文化の落差を見るがよい！

そして、今日のソリッドワークスではリード取得はメーカー、その情報を与えられた再販代理店は専らセールス(受注活動)に専心する。販売の進捗状況は、市販のマーケティング管理ソフトで相互に共有されている。

(註3)
筆者はこれより数年前、システム子会社の社長をしていた時、親会社の主力事業、農業機械営業本部の営業統括部長(後日、代表取締役副会長)が、当時停滞していた受注活動の抜本対策として、大量のセールスマンが勘に頼って当てもなくユーザー(農家)訪問を繰り返すよりも、顧客の保有する農業機械をデータベース化して、買い替え時期を予測するマーケティング方法(Marketing Approach)を提案していた。その結果セールスマンの数は半減するはずである、と述べていた。(新規需要は少なく実需のほどんどは買替需要)日本は農業統計が完璧と言っていいほど整っている国で、全農家に当たったとしても100万戸に過ぎず十分に可能だ、と訴えていたのを想い出す。当時筆者がCEOだったシステム子会社の総力を挙げて、この要請に応え切れず、システム会社の体質転換が実現できなかったのは今更ながら残念であった(ビッグデータ処理能力が不足していた当時では困難であったが、今日なら十分可能になっているはずである)。

これらは社長交代と共に飯田晴祥新CEOによって米国の手法を取り入れて実行されたが、

(a)は今日の日本でも一般的となっている(引合取得=メーカーとセールス=代理店の分業)。

(b)は日本の実情に疎い米国のマーケッターによる机上の空論であった。それでも、二次店の一次店への格上げ、地方の代理店の発掘には役立った。

このギャップはどこで生じたのかといえば、米国の販売代理店は細かく分割された地域の独占再販権を有し、半径60マイル以内の、車でエンドユーザーを訪問できる範囲ごとに設置され、これがモザイク模様に敷き詰められて全国ユーザーを直接カバーする仕掛けになっている。米国から見ると、日本の全国区や大都市圏中心で市場をカバーするやり方は、荒いザルの目のようにユーザーを逃しているように映ったのであろう。その補完的手段が歴史的に複層、多層に重なりあった流通網であることは、彼らには到底理解できなかったのであろう。

〈ＳＷＣが果たした事業の社会経済史的意義〉

事業としてのＳＷＣの成功の歴史と、その経営分析は上記で述べた通りである。

しかし、若き日から今日に至るまで、断続的にせよ経済学とりわけ西洋経済史学・宗教社会学を修めてきた者にとって、本稿の執筆を進めるに従って、ＳＷＣが志向し実行してきた経営の歴史は、より広く「社会経済史」的観点からの分析に値するのではないか、との想いに駆られる。

1. Community の定義とその意義

確かにその創業以来の理念である、Community, Open System, Affordability というコンセプトは理念に止まらず、その実行の過程で自己展開して付加価値の幾何級数的拡大をもたらした。創出された付加価値の分け前（＝分配）を Community の構成メンバー、すなわち開発者・戦略パートナー・販売代理店（Distributor）そして本来これが創出する価値の最終受益者であるユーザーをも含む全員が享受できたからである。このシステムは市場創出とその分配、そしてその拡大再創出の循環スキームが見事に機能させたのである。

Community を人体に例えるならば、開発されたソフトエアという栄養を持続的に拡大再生産して体内に循環させていく〝起点〟の役割を果たしたのが、Affordability と Subscription という価格体系である。そしてこれを体内に流通し続けた〝血管〟の役割を果たしたのが、Open System で組み合わされた戦略パートナーと再販代理店のチャンネル網であった。

なるほど Community はジョン H の創出したコンセプトであり、究極に利益関心が隠されていたのだが、それはステークホルダーの心の拠り所となり、相互に依存しながら外部の世界、すなわち市場に向かって拡大していく共同体として機能したのである。共同体はその歴史発展の過程、すなわち封建時代から近代資本主義への移行の過程で、それ以前の領主対農民あるいは都市貴族対市民に存在した利害関係（支配・被支配）から解放されて、（近代的）市民という個人対個人の関係に帰属する結果になっている。その後、Community はどうなったのかというと、市場経済の外側に位置する教会という宗教団体や地域社会に帰属することになった。

それに比して、SWC の作り出した Community は構成員の共通の付加価値の創出と役割分担、その結果としての付加価値の配分という目に見える形＝計測可能な形で合理的に組成されている。そして、システムへの参加形態と付加価値配分方法は相互の自発的（Voluntary）な契約に基づくアソシエーション（Association）なのである。これは歴史に類を見ない「企業という非有機体」に生じた、新たな形の有機的「共同体」と定義されるのではないか？

共同体の定義や主体は多岐にわたるが、最近その消滅や社会的役割の著しい低下が叫ばれている。これは世俗化に伴う教会員の著しい減少、農村人口の流出に伴う共同体（規制）の弛緩、産業構造の変化に伴う都市人口の流動化、急速な高齢化に伴う家族紐帯の崩壊、さらに加えて、近年のパンデミックがもたらしたリモート・ワークによって生じた労働環境における人的接触の希薄化、などの急速な進行に伴って、人間的な絆はその基盤を消滅させつつある、という基本的変化に由来している。

ＳＷＣのCommunityの著しい発展と、これに続くＩＴ業界の新興企業の多くがこの標語を提唱し始めている今日、これを既存の共同体の弱体化を補うものと見るか、それを超えた新たなる共同体成立の走りと見るべきかは、注目に値するところである。

2．Subscriptionの経済学的意義とその将来像

ここでSubscriptionを問題にするのは、これが資本主義制度の根幹をなす所有権に深く関わるからである。ジョン・ロックの言を引くまでもなく、近代市民社会の経済を支える資本主義制度にあっては、所有権は個人の侵すべからざる権利だからである。しかし、市民革命以前の前近代に遡れば、所有権（の権源）は必ずしも個人には帰属せず、王や封建領主・大地主がこれを保有し、個人はその部分的権利たる専有権や使用権（耕作権）のみに限られることがむしろ一般的であった。現代においても例外的に使用権のみ有するレンタル（使用）契約、時間貸し（使用）＝Time Sharing契約があり、とりわけコンピュータやＩＴ

の業界では頻繁に適用されている。ソフトウェア業界では、（受託開発契約を除く）所有権（無形固定資産）はあくまで開発者に在って、その使用許諾権＝License を永久又は一定時間買い受ける形態をとる。従って、所有権（権源）は開発者に留まったままである。

コンピュータやＩＴの業界にあっては、製品（パッケージソフトを含む）販売とは別に「保守契約」を結ぶのが一般的である。これはもともと構造が複雑でユーザーには修理が困難なメカニズムを持った機械製品の定期的メンテナンス契約であった。しかし、より複雑な機構を持ち、とりわけ製品の技術進歩の激しいＩＴ／コンピュータ業界にあっては、ユーザーの最先端の技術を利用したいという要望に応える必要から、必ずしも複雑な論理回路やソフトウェアコードが完成を待たずに販売されることがしばしばある。これを解決するために「保守契約」の中に、Bug Fix のサービスも組み入れられることになった。さらに資本力の乏しい開発業者の新技術開発に対する前払いの意味も含めて、Version up も含まれることが業界の慣習として定着することになる。これらのサービス機能はメーカーが納入後ユーザーに負う責務なので、開発業者の財務処理上負債勘定に計上される。そして、保守料に占める Version up の比率が上昇するとともに、これを Subscription と呼ぶようになってきた。ＣＡＤ業界におけるその創始者がソリッドワークスなのである。

それ以前の保守料が5〜10%、その課金時期も納入後一年以降年次であったのが、SWCの場合、納入と同時に20%という画期的価格構造(ビジネスモデル)の変化を見せたのである。その実行者こそ、わが友ビック・レーベンタールであることはすでに見てきたとおりである。

この価格構造の変化は、実は課金の性格の変化を含んでいる。従来(「製品価格」+「保守サービス料」)であったのが、(「圧縮した製品価格」+「拡大されたサービス料+使用料」)という構造に質的に変化したのである。この価格構造が〝圧縮された〟製品価格を〝極小化された〟と置き換えたところで、課金は全額Subscriptionすなわち大型コンピュータ時代のTime Sharingに置き換わったのである。しかし、そこには革命的な変化がある。後者は知的エリートが使う極めて高度かつ高価なサービスであったのに対して、前者はリーズナブルな価格で極めて多数のユーザーに提供したのである。これはかなり高度な民主主義社会に適合したといえるのであろうか?これが、IT化がもたらしたDemocratization(民主化)或いはPopulism(大衆化)という功徳である。

そして、このビジネス形態はコンピュータ・IT業界に止まらず、産業界や消費財市場で急速に広がりつつあり、確実に人々の生活スタイルに変革をもたらしつつある。

この流れを経済学的に敷衍してみるなら、重厚長大資本主義・垂直統合型社会からサービスを中心とする資本主義・水平分散型社会への転換ということになる。これを経済体制の問題として捉えると、宇沢弘文の「公共資本主義経済」との共通性に行きつく。

しかし、経済が市場を介して所有権の移転を通じて富が蓄積されていく過程が、サービスの流通という形態に変わったとしても、「所有権」が開発業者に所有され続けて、これがPlatformを独占して情報を通じて市民社会を支配し続ける限り、真の市民主導の民主が達成されたとは言いがたい。ＧＡＦＡの高度市場支配の不公平の現実に対して、政治の側からする対応が迫られるゆえんである。

第四章

「事例研究」(C)『旧世界』に生きたクボタの『新世界』企業への脱皮の挑戦

事業構造革新の嚆矢としてのＩＴ事業進出

伝統ある大企業クボタは事業構造の転換を図るに際して、主として未経験の新規事業に果敢に挑戦し、時に利あらず撤退を余儀なくされて深手を負うところとなった。その現象自身は、この会社の悠久な歴史の過程に鑑みれば、その被害額の巨大さを別にすれば、それほど珍しいことではない。各種鋳造製品、工作機械、中型ディーゼルエンジン、自動車、(大型)建設機械、自動販売機など、その時々の経営の中核を担った事業も含まれる。いずれも長期の販売不振による赤字経営に際しての、苦渋の決断であったに違いない。

(註)

これ以外に世間に知られていないことだが、長年日産自動車の主力ブランドであったダットサンは、創業当初はクボタの傘下の企業で製造販売されていた。我が国の自動車産業の黎明期当時はメーカーが乱立する割には需要が伴わず、赤字続きで撤退を余儀なくされ、創業者の決断によって鮎川義介率いる日産グループに売却のやむなしに至った。投資としては失敗であったが、農業用発動機を固定式に固守するクボタの技術者の反対を押し切って、駆動式にした耕運機は日産自動車にあって自動車製造に従事していた、創業者の娘婿が実現したものである。この技術が後日同社の基幹製品となるトラクターへと受け継がれていくのである。また、日産グループと交換に編入した戸畑鋳物から、薄物鋳物の大量製造技術が後日の農業用エンジンの開発に貢献した。ちなみに後に日立・日産グループという新興コンツェルンの統帥となる鮎川の事業の開始は彼がMIT留学で修得した薄物鋳物の量産技術によるものであった(鮎川義介が留学先MITで取得した当時の最新技術は薄型鋳物の大量生産技術であった)。

以下に述べるコンピュータ事業への進出と撤退は、上記の長期間続いた主力事業が、時代の変化への対応がその理由であったのに比して、本件はその本質が根本的に異なる。その実態と問題点をここに示して、その核心に迫って、今や世界屈指の産業機械総合メーカーへと邁進しつつあるクボタの、今後の経営戦略の参考に供すれば幸いである。

時をほぼ同じくして、国家・地方財政のひっ迫による上下水道など公共投資の減少と、鋳鉄管の談合問題処罰の影響によって水・システム部門の売り上げが激減して、同社の安定収入源を直撃した。他方の主力収益源である農業機械事業も国内のコメ需要の逓減と政府の保護政策の廃止、減反政策の実施に伴って長期低滞を余儀なくされた。その他の産業桟材類の不況が続いたため、従来内需主体型として知られた企業体質は急速に海外需要へと重心を移さざるを得なかった。その後よくこの苦境に耐え続けて、今一方の伝統事業であるトラクター・田植え機・コンバインを中心とする農業機械、小型建設機械、産業用エンジンなどの産業機械事業が着実にグローバル展開していく順風にも恵まれて、経営資源をこれら事業に集中投資して世界企業への道を切り開くことに成功した。時あたかも1989年末にベルリンの壁が崩壊して、91年にはソ連邦の崩壊と共に旧ソ連東欧諸国の資本と労働が世界市場に向かって流動化していく（グローバル化）中で、同社も海外への直接投資と販売網の拡大を加速させた結果、世界企業にまで成長することに成功した。今日同社は、成長と財務の健全性を兼ね備えた優良成長企業へと業容を充実・拡大させている。他方で、大衆消費財需要と社会インフラの一巡と、高度成長の終焉と共に訪れた政府の財政難によって、日本の公共投資は減少し、創業以来安定収益によって幾多の新規事業の創出を支えてきた、一方の主業の上下水道関連資本財商品事業は失速を余儀なくされ、これによって社内のポートフォリオにおける比重の著しい低下に甘んじることとなった。農業機械も政府の保護政策の転換による日本農業の停滞に伴って、国内販売の不調に見舞われたものの、グローバリゼーションの波に乗った輸出・海外生産の拡大によって、今やジョン・ディア、マッセイ・ファーガソン、ニューホランドなどトラクターの世界トップ企業に肉薄するまでに急成長しつつある。ちょうど建設機械の分野で、世界トップ企業のキャタピラーを急追していた頃のコマツのかつての姿を髣髴させるものがある。本書で取扱う1990～2005年は、同社が旧世界の重工長大企業からグローバル産業機械メーカーに変身していく狭間の期間に生じた「生みの苦しみ」の時代であったともいえよう。

〈クボタの創業の事業内容と事業特性〉

元来クボタは中核事業の存続に関わる事業を除いて、他社への投資に関しては極端なまでに臆病な姿勢の伝統を持つ関西企業であった。創業の鋳物業は、銑鉄や屑鉄（スクラップ）コークスなどを購入して毎日キューポラで溶融して加工した製品を販売して入金、翌日にはこのプロセスを繰り返さなくては操業を維持できない（キューポラは通常2基設置、隔日で交互に操業）ので、資金繰りがタイトな経営体質の宿命を背負っていた。これに比し、石炭、石灰石を大量購入して、数年間を通して大容量の熔鉱炉（高炉）で溶解・鍛造・圧延などの長い生産過程で連続操業して大量かつ長期間におよぶ在庫・流通過程を要する資金の滞留は鋳物業の比ではなく、国家資本や財閥資本のみが経営に耐えうる事業形態であった。関西の独立系中小資本に過ぎなかったクボタが熱効率と品質確保のため、高炉操業を長年にわたって渇望しながら果たせなかったのは、実にこのような資本規模の高い壁があったからに他ならない（註）（やむを得ず関連する機械事業の開発・流通に資本を重点投入したことは長期的観点からすれば、賢明な選択であったといえよう）。

（註）昭和10年代に入り、尼崎製鋼との合弁によって、高炉直鋳の計画が創業者により実現の運びとなったが、時に利あらず、戦時体制への移行に伴い鉄源節約の見地から、水泡に帰した苦い過去がある。戦後にも、加古川に建設計画（70億円の投資計画）があったが、経済不況に瀕して断念せざるを得なかった。

そのせいか、機械事業の開発・流通部門に資本を投入したことは、鋳鉄管の鋳造技術開発の進歩と日本産業社会の資本蓄積に伴うスクラップの大量発生・循環による豊富な安定供給、需要の縮小した今日の経済情勢からみると、結果的に賢明な経営判断であったといえよう。

先輩からの話で、鋳物業の事業特性を表すに大阪では、〝鋳物屋とデンボーは大きくなったら潰れるという諺が有る〟と聞き及んだ。ちなみにデンボーとは〝デキモノ〟のことである。

創業はトヨタ自動織機などと同じく1890年に遡り、独立起業者久保田権四郎の手により水道用鋳鉄管の国産化、量産体制の確立によって初期資本（本源的資本）の蓄積（原蓄）に成功した。その後、各種鋳物製品とりわけ工作機械、ディーゼルエンジン、農業機械用エンジン、上下水道向けポンプ、バルブ事業などの多角的分野に進出した。（従来欧米からの輸入に頼っていた資本財を国産化し（輸入代替）、外貨の節約に貢献したのは、豊田佐吉による綿紡績・自動織機の開発・製造と類似している。戦前日本の大陸進出に伴い、満州・華北へと鋳鉄管の工場設立へと事業を拡大し、高炉直鋳による近代的大規模生産方式にも挑んだ。戦時体制下では、戦車牽引車、上陸用舟艇エンジンを始め産業機械も含めた大手鉄工・機械メーカーの一つにまで成長した。それでもその資本蓄積と資金調達力は、三井・三菱・住友は勿論のこと、その他の新興財閥グループにも遠く及ばぬ存在であった。終戦後は「財閥指定」（註）を受けて、戦争協力ゆえに海外工場はもとより、工場設備や設計図面を賠償として失う経営危機の中で、会社は3年にわたって政府の管理下に置かれて、財務状況の清算を余儀なくされた。

その後、あまり語られることのなかった複雑な経緯を経た後、社長に就任し実質同族経営の株式会社経営を近代的な株式会社に変身させて増資を繰り返し、創業者一族の影響力を削いで、社を確たる大企業に迄育て上げたのが中興の祖と称される小田原大造である。この間、激しい労働争議が繰り返されたが、小田原の主導によって労使協調路線が確立された。権力の移行の経緯については諸説あり、二代目が経営の才に欠けていたのが発端のようだが、実態は明らかではない。労働組合の加勢を得たのは事実のようで、その後「労使協調」の社風は伝統として受け継がれていくことになる。この点、日産自動車の川又社長による権力把掌劇と一脈通じるところがあるのかもしれないが、今となっては真相はヤブの中である（ハルバースタム著〝Reckoning〟邦訳『覇者の驕り』新潮社 1990年）。この過程で、久保田家への信用を基に資金支援していた住友銀行が、出資・貸付金を一時引き上げるという挙に出たため、社の資金繰りは不安定を余儀なくされた。同社は日本の水道用鋳鉄管の7割を生産しており、客は東京都、大阪府を始めとする〝お上〟であったので、由々しき問題であった。鉄源はつねに大量に先行手配しなければならず、メインバンクの撤退は経営者にとって一大脅威であった。加えて戦後に進出・事業拡大した農業機械事業は、顧客たる農家の支払慣習が盆暮の年二回払いが慣例となっており、販売代理店からの手形の不渡りは年中行事で資金繰りの圧迫要因であった。

このような経営実態の中で、資金繰りの中核の役割を果たしたのは、官公需の水道管と製鉄メーカー向けの設備繰延資産（鋳型・ロール）であった。（当時の資金部長談）これらはすべて鋳物製品であり、鉄源の確保は存亡に関わることであったので、止むなく尼崎製鉄、大阪製鋼所、遂には富士製鉄との株式持ち合いという保険を掛け続けざるを得なかったのである。

(註) 太平洋戦争終了時のクボタグループの資本金は、満州・北京を含む海外資産も併せて、約7千万円であった。Cf・満鉄：1億円

産業界でいわば孤立状態にあるクボタに、文部省検定資格を取得して(旧制)商業中学の簿記の教師を経て入社した小田原にとって、最も信を置いたのが自己資本(の調達力)であった。(と同時に創業者一族の発言力の削減?)同社は戦後たびたび無償増資して株主を喜ばせながら、売り上げ規模にしては過大ともいえる資本金規模を誇り、結果自己資本比率は40%を超え、流動比率も同業他社をはるかに上回る財務健全性を堅持し続けた優良企業であった。

小田原の時代に社業は祖業の鋳物関連の鋳鉄管に始まり、種々の鋳物・鋳鋼製品および、ポンプ、バルブなどの水道関係機械類、クレーン車、ディーゼルエンジンなどの産業機械に加えて、農業機械関連商品も収穫機、田植え機、耕運機とその発展形態たるトラクタを開発して、戦後農地改革後に大量に輩出した小規模自作農農家の農作業の自動化によって、農業と農村の省力化に貢献した。この結果、社業は大いに発展し、小田原は中興の祖として経営の才を称えられた。このような多角企業の効率的統括法として、1953年に彼が適用し

たのが当時経営学で流行の緒に就いたばかりの、人事と財務・経営管理以外の経営を事業特性の異なる現業部門に委ね、それぞれの経営成果を競争させる〝事業部制〟であった。その採用は日本の企業の中では最も早く、松下電器産業（現パナソニック）とほぼ同時期であった。そのメリットは目覚ましく、効率経営の結果として、財務内容の改善につながったのだが、諸刃の剣としての弊害も存在しており、この体制下では事業部の独立性が強まっていき、会社全体（Corporate）としての戦略的視野が失われていき、その視点を本格的に担う専門組織（企画・戦略部門）が本社内に存在しないという弱点が埋め込まれてしまったのである。その資質を備えたトップが会社をリードしている間は会社は何とかしのげたが、そのような視野を欠く専門部署から上り詰めた者がトップに就いたときには、その弱点が露呈する。統制を主体とする財務部門主導による経営が行われた時代に、それは現実のものとなった。折悪しくコンピュータへの戦略的視野を欠く、歯止めのかからぬ事業展開が、従来型とは比較にならぬスピーディーな新産業に突入すると、急坂を転がり落ちていく悲劇に陥る危険をはらんでいたのである。

以上が、同社がＩＴ事業に参入する10年ぐらい前の経営体制の概略である。

（註）クボタの社史と記録の欠落

同社の社史は創業80年と１００年の2回編纂されているが、創業期の実態はもとより、戦前の経営資料には欠落が多く、これを古参の社員の聞き書きに頼って補っている部分が少なくない。その他幹部の筆になる回顧録が数冊あるが、これらとても第一次資料とは為しがたい。これは戦時中に浪速区船出町にあった本社工場が、全焼に近い被害を被って、重要書類の多くが焼失したことによる。加うるに同社は昭和初期迄は同族会社で、決算諸表の記録に乏しく、とりわけCash Flowに至っては実態がつかめず、経営意図が極めて判じがたい。

この点、トヨタ自動車は幸運にも本拠地刈谷工場が奇跡的に爆撃による火災を免れて、経営資料、創業者喜一郎の指示書は全て記録として残っており、後日名古屋大学、東京大学の教授によって経営史の学術書として見事な姿をとどめている。筆者が同社の誘いに応じてグループのソフト会社の顧問に就職したのは、その社史・社風の原点を学びたい、という願望も手伝っていた。一方で、創業家から中興の祖といわれた小田原大造への社長委譲については、「正史」では美談として語られているが、実態は社員、組合、銀行、それぞれの人間模様が展開された、と聞き及ぶ。双方とそれを取り巻く当時の要人が、出身を同じくする郷党（広島県東部島嶼部）ゆえなおさらのことであったろうことは想像にがたくない。

（註）社史が潤沢な記録に残されている場合でも、暗部が巧妙に欠落・歪曲されているのは史上珍しいことではない。有名な近江商人『中井家（源左衛門）文書』にそれが見られるのは研究者の間では公知のことであり、『住友家文書』また然りと内部の人から聞き及んでいる。しかしながら、近代資本主義の表象たる証券取引所認定の財務諸表をつぶさに観察すれば、少なくとも資金の流れに関しては、ほぼその実態を把握できるはずである。

そのような客観的資料を以てしても、第二次世界大戦中の統制経済と終戦直後の狂乱インフレと、財閥等同族に対する巨額の財産課税などによる、オーナー資産と法人双方の増減の相関関係については精査を要するが、その後の高度成長と増資政策の中に埋没を余儀なくされているのではあるまいか？

ちなみに、小田原は後日関西の中小企業をまとめて、大企業をバックにする住友グループを抑えて大阪商工会議所会頭に就任、（大阪財界の〝南北戦争〟）後日、時の同郷出身の宰相や財界リーダー達の支援もあって、大阪万博の招致に成功している。

1950年の不況時に3億円の資金ショートで会社倒産の危機に瀕した際に、救済してくれた富士銀行（難波支店）をメインバンクに資金繰りを凌ぐうちに、住友銀行も帰参して2メインバンク制になった。80年代後半、重厚長大産業の需要頭打ちによる低成長にあえぐ中にあって、過剰流動性の時代になると前任者の急死に伴って急遽昇格した財務畑出身の社長は、現業が不況のさなかで利益創出がままならぬ苦境を克服すべく、一方のメインバンクからの大量借入を原資に株式投資活動(財テク)を密かに拡大して、金融利益を捻出していく経営姿勢を持続した(註)。

(註) 産業資本の正統から逸脱した経営姿勢には、本社内からも疑念が生じており、当時の経理部長の嘆き節が漏れ伝わっている。〝当社の財務諸表はおよそ製造業のものからはかけ離れた姿となっている。まるで金融資産の短期売買を業とする証券会社か投資銀行のようだ。製品の売上、仕入、仕掛勘定という製造業の正当な資産勘定に比し、膨大な短期借入金、短期証券投資勘定などの金融資産が異常なまでに肥大化している。〟

皮肉なもので、後に招来したバブル景気の余波が銀行株価の暴騰という予期せぬ結果をもたらし、金融取引の担保に所有させられた膨大な銀行株(両行の5位以内の大株主)の異常な高騰によって、一時的にせよ一兆円に余る含み金融資産を有する金持ち会社となったのである。この秘め事(経営トップによる〝疑義ある金融取引行為〟)は、社内と銀行・証券会社のごく少数者のみが知るところであった。

この社長が本社のある部長から、全社としての(Corporate)ポリシーと戦略方針を尋ねられた際に、〝君この会社には全社の方針など無いんだよ。あるのは個別事業部のそれであり、その集合体が全社に過ぎない〟と答えたと聞き及んでいる。財務の専門家でありながら、資金転がし（財テク＝擬制資本）で利益を蹴り出すのが、正当な資本の創出手段ではない（財テク＝擬制資本）ことは、古典派経済学のイロハであることくらい、同じ商業中学（旧制）出でありながら、その上司たる「中興の祖」の基本概念、その経営哲学に於いて天と地ほどの落差があったのである。

次期社長も財務畑の出身であったが、引き続く産業界の不況と農村市場の行き詰まりは相変わらずで、何よりも前社長時代の財務・管理主導、実業軽視の経営に対する社内に蔓延する怨嗟の声を感じ取り、事業の新機軸展開の展開を図った。一転して新規事業投資へと舵を切ったのである。そして、事業開発室を社長直属の組織として、既存事業や間接部門の管轄の埒外に置いた。

目先の利く役員の中には、〝この（虚業で得た）含み資産が消えてしまう前に、実業としての新規事業に投資すべき〟と社長に進言した者もあったと聞き及ぶ。しかしながら、既存事業部門に投資機会は乏しく、いきおい投資の矛先は（A）従来事業の統合によって、既存市場全体を糾合するプラントシステム事業か、あるいは（B）対象市場も適用技術のいずれも未体験の新規分野への進出の何れかに的が絞られた。時代の寵児としての米国のＶＢとＶＣの新機軸を追い風にした〝WIZKIDS〟の出番である。これら新規事業は約20年の長きにわたる苦闘の後、膨大な資本を投入した後、その大半を喪失して、夢大き新規事業は〝邯鄲の夢〟と潰えてしまった。

その後の会社は歴史の舞台が回り、グローバル化の波と共に本業が成長軌道に回帰して、今日に見る繁栄を得られた。あれほどの資本と人材を投入して獲得された技術や連携した内外企業との友好関係、そこから得られた情報システム、マーケティング手法、とりわけ経営ノウハウという貴重な資産は、本業の情報システム、応用技術として有効活用されることもなく放棄されてしてしまった。

その基幹業務を再構築するに際して外部人材を用いることは、それなりに必要なことは認めるが、せっかく身を賭して受肉化したクボタの人材と教訓を生かすべきではなかったのではなかろうか？　クボタのWIZKIDSを戦犯としてペナルティーボックスへ押し込んで、その知見を再利用することはなかった。マクナマラとその仲間のようにその経験を生かして次なる時代の要請に応えるというチャンスは与えられなかったのである。

この失敗の原因はどこに起因するのかと問うなら、それは当初からの新規事業に際しての〝ポリシーの設定〟と、〝戦略展開の構想〟、そして〝戦力の投入方法とその限界〟、〝撤退作戦の設定〟などの方針が曖昧で、これらが経営幹部に共有されておらず、一部の者のみ（WIZKIDS）に秘蔵されていたことによる、といえよう。

同社のコンピュータ事業への参入は、今日から見れば突飛な行動に映るが、これには当時の時代背景を知っておく必要がある。日本の産業界は、80年代の〝Japan as No.1〟という自信過剰の時代が去った円高不況下、本業の成長が行き詰まって業績低迷に喘ぐ中で、長期成長戦略の柱を創出すべく競って新規分野、それも既存事業の延長線上にではなく全くの新分野・新技術への進出を模索していた時代であった。製鉄会社の半導体、電機、機械メーカーは競って未知のコンピュータ関連事業へ足を踏み込み始めた頃である（新日本製鉄、NKK、川崎製鉄の半導体、キヤノンのコンピュータ、住友電工、松下電産、ソニーのEWS、ダイキンの画像デバイス、旭化成のコンピュータ、コマツの磁性材などである）。

当時の同社の新規事業戦略は、多角経営で培ってきた上下水、鋳物関連商品を統合してプラント・システム事業を構築する道と、既存経営にない新規事業分野、とりわけコンピュータ関連事業への進出という二正面作戦であった。社内で名付けて前者を地下水脈型、後者を落下傘型と呼んでいた。結果的にはまず筆者が深く関わったプラント・システム事業からは、東欧での別部隊が鋳物工場のターンキー受注で大幅赤字に苦しんでおり、水関連システム事業も初戦で躓いたことも手伝って早期に撤退した。

この種の事業はプロジェクトはしばしば大口となるので、これを創出するためには、相手国企業体や政府、日本政府さらには国際機関をも巻き込んだ広範な仕掛けが必要で、当方が政治力を有すると同時に、その後の受注に至るプロセス（最終段階では入札の形式をとる）が複雑で、成功裏に受注できたとしても遂行に数年を要し、その資金滞留は長期かつ膨大なものとなる可能性が大である。これは同社の社業の伝統に馴染まず、今にして思えば、財務出身の社長のバランス感覚が働いた賢明な決断であったのかもしれない。

これに比すれば、コンピュータ関連事業は技術の本性は根本的に異なるとはいえ、筆者が後日従事したソフトウェア事業を除いて、製造という創業以来慣れ親しんできた、事業形態であった。断念した選択肢に比べて、健全経営を以てすれば資金の長期・大量滞留のリスクは少ないはずであった。その安心感も手伝ってかその投資先は、当初は周辺機器に対する少額の分散投資に留まっていたが、ミニコンピュータという、半導体やソフトウェアや周辺機器をも引き連れたミニ総合事業に手を染めて以来、必要投資資金に歯止めがかからず、事業存続のための総投資額は膨大な額に達した。当初の目論見が見事に外れて、集中投資にもかかわらず成果を得る事乏しく、長年をかけての撤退の止むなきに至った。極力傷の深さを隠蔽しながらの撤退の実行には相当の年数を要し、さすがの大企業にも陰りが見られ、肝心の本業への必要投資にも甚大な影響を及ぼすに至った。

新規所業への進出に際して元来クボタは投資や買収に関しては極端に憶病な姿勢で知られていたが、それは上述の社史がもたらしたＤＮＡが尾を引いていたのである。

資金繰りに対する不安の姿勢は、この会社の事業展開姿勢歴史を通じて潜在的に支配していた。それは常に「ニッチトップ」を目指すということで、社内では誰言うことなく広まっていた会社の本性であった。従って、コンピュータ事業への進出に際して、当初はニッチのペリフェラル（周辺機器）ベンチャーに投資したのである。資本を長く寝かせる大規模設備投資、長い販売網を要する製品販売に対する忌避である。この伝統に逆らって生き延びた唯一の例外が、いわば「鬼っ子」として成長し、遂に今日世界企業として会社の屋台骨を支えるに至ったのが、農業機械とりわけトラクター事業であった。大量消費財や大型生産財市場には必ず大手企業が進出してきて、資本力を必要とする耐久力の持久戦の勝負に持ち込まれたら、弱小の独立系資本では耐え切れないからである。事実、農業機械事業でクボタが心底恐れていたのは、ヤンマーではなく三菱重工（や本田）であった。

経営上の問題を先取りしていうなら、時代を下った1980年代後半の同社は、「ニッチトップ（Niche Top）」の伝統を墨守する姿勢の原則を論拠にして、未知の分野に向かって大規模投資を実行する危うさを諫める人はいなかった。否、当事者達（WIZKIDSと経営トップ）は、初めはニッチ市場への限定を意識して参入したものの、上記の急激な歴史的展開によって、ニッチ分野が他の分野との境界が瞬く間に消滅してしまって、開発・生産・流通分野が急展開して、巨大な投資を必要とする事業環境へと引きずり込まれてしまったのである。

『旧世界』の遺伝子が支配する事業環境下に在って、にわか仕込みの『新世界』の行動原理を持ち込んだWIZKIDSや彼らに引きずられた本社経営トップにとって、「新世界」で激変が渦巻く時代の趨勢を見極める洞察力を期待することは、どだい無理な注文だったのかもしれない。すでに見てきたように、新たなる時代を切り開いてきたボストンやシリコンバレーのEntrepreneur達ですら、次の新たな時代の波には対応できなかったのだから。

今となってはその不可視性は責められないが、その現実＝「いまだ与り知らぬ『新世界』」に足を踏み入れて大惨事を予知して、これに待ったをかける経営能力が問われたところであった。

かの財務出身社長が紡ぎだした〝不浄の含み資産一兆円〟の影が、経営の理性を陥穽に貶めた一因であったのかもしれない（註）。


（註）壮絶な撤退作戦の中に在って、殿軍としてよく戦い設計・開発業界の革新に貢献し、かつ事業としても成功を収め、ひいてはクボタ本社にそれなりの貢献を果たした記録は、第二、三章の「事例研究」ですでに述べたところである。

〝兵どもが夢の跡〟は、失敗事業が損失の甚大さはもとより何よりも〝旗艦の沈没〟の衝撃が際立って大きかったがゆえに、局所における成功事業も全面撤退という意思決定によって、個々の分野にとっては赫赫たる戦果を引き継ぐ選択肢をも捨て去った本社の決定によって、その事跡はグループの記憶の中から忘却された感すらある。しかし、それなりの成功を収めた事業は他社に売却され、あるいは小さく独立して、今日もその業界にあって基幹ソフトあるいはプラットフォームにまで成長したものもある。その成功の最たるものが機械系３Ｄソリッド・モデラーの世界で業界標準（de fact standard）にまで成長し、今なお確たる地位を守っているソリッドワークスである。ＣＡＤの定義はすでに述べた通りであるが、その意義は機械を設計するに際して形状を作成し、組み立て、その特性・品質を検証するモノづくりの原点となる基本ツールであり、その他のソフトと組み合わせて設計・製造のプラットフォームとなっている基幹技術なのである。これをかなり無自覚に手放してしまい、その社内利用にもさして関心を払わぬ技術戦略の在り方は疑問なしとしない。

(註) 筆者もかつて機械事業本部の技術の総帥に3DCADの採用を提案したところ、〝製造現場で最終的に証とするのは2Dの図面だ〟と言うのである。最終的にはCATIAの採用に至るのであるが、副社長に迄上り詰めることになる技術のエリートにしてかくのごときであった。K-CADという図面作成専用の自社CADの利用が有ったが、現場の主流は何といってもmicro-CADAMで3DCADが普及した後迄、2DCADは大手メーカーでは100本単位で根強く生きながらえたのである。(世界の2D大国!)これは2D図面を見て3D立体図を容易に想像できる日本人技術者の(奇妙な器用さが、技術の発展の阻害要因になった好例である。この悪弊=奢りはそれまで2DCADや金型技術に疎かった発展途上国に追いつき追い越されていく滅びの道を辿っていくことに繋がっていくことになる。

その検証のためにも、以下に歴史と内容の概略を振り返ってみておく。

〈クボタのＶＢを通じたＩＴ事業進出のパターン〉

１９８０年代〜90年代における日本企業のＩＴ事業進出のパターンは、米国の東西海岸地域に起業したベンチャー（ＶＢ）の革新的技術の輸入販売あるいは技術導入であったが、基本技術はおろかその隣接領域、つまり家電・エレクトロニクス業界の知見が皆無のクボタはＶＢに投資して、日本における製造と販売の独占権を取得、日本に於ける製造と販売の道を選んだ。そして、この方式が後日日本企業のＩＴ事業進出のパターンとなっていった。それ以前は商社やコンピュータ関連企業が技術、販売提携して日本において再販していたのだが、同社が突如闖入してその秩序を壊してしまったのである。この「札びら商法」を可能にした背景については前章で述べたところだが、彼らからは〝なにわダラー〟と陰口をたたかれていた。当時は今日のようにベンチャーの技術の本性を評価した上でその将来性を見極めて、有望ベンチャーに投資するという組織的投資家集団はいまだ多くはなかったので、製品開発の基幹が理解出来ぬ同社は投資しても事業経営に嘴を挟みようもなかったので、〝Patient Capital〟あるいは〝Sugar Daddy〟としてＶＢあるいはＶＣから（皮肉を込めて）大いに（揶揄）歓迎されたものである。

投資先の選定基準は、ベンチャーの開発者の中核にかつての成功体験者がいるか否かであった。成功体験者による人材の採用、ベンチャー投資家の信用による共同投資の期待もあった。

後日談ながら、同社の経営企画部門は内々にコンピュータ事業を総括した様子が伺える。漏れ聞くところでは、膨大な投資を喪失したコンピュータ事業関連事業群の中にあって、事業の開始から終結に至るまで投資効果が黒字であったのは、ラズナ↓クスコ(及びソリッドワークス・ジャパン)のみであった、とのことである。(その計算に2億5千万ドルのキャピタルゲインが算入されていたか否かは定かではないが、おそらく除外されていたであろう)今にして思えば、これを可能にしたのは先に述べたような、従来の重厚長大企業にはなかった経営方法(ビジネス・モデル)を採用した点が大きかったことはすでに見てきた通りである。

その投資先で事業の成功やキャピタルゲインを得たものがいくらかはある。

画像半導体のC-Cube(LSILogic株に変換)(300億円)、EWSのMIPS(SGI株に転換)(500億円)、ラズナの(PTC株に変換)(250億円)などである。

しかし、大勢は研究開発、工場生産に膨大な投資を実行した旗艦たるコンピュータ事業である。世上では上記の金融特別益を差し引いても、累積損金は1，500億円を下らないであろう、と噂されている。撤退作戦は実損を表向きあるいは決算上如何に小さく見せるかが財務・管理マンの腕の見せ所で、外側からは見えにくいのが通例である。当時、並行して進出で検討していたプラント・システム事業のシミュレーションの過程で、会社にとっての操業累積損の限度を探った際、管理部長の見立は500億円であった。これを保守的数字とみなしたとしても、その限界は1，000億円とみてよいだろう。上記から類推して、当時同社が被った打撃は耐久力の二倍前後に達したものと類推され、この傷から立ち直るには少なくとも数年を要したはずである。これが〝失われた30年〟といわれた最中の苦境であればその重荷の負担は尚更のことであったと想像される。

事実本年1月24日発刊の「日経ビジネス」の〝中興の祖〟ランキングに登場するクボタのCEO土橋芳邦は、4年間の在任中にかつて優良健全企業と称賛された姿が見る影もなく赤字経営に陥った会社のリストラに全力を尽くし、2003年に至ってようやく全部門の黒字化を達成して後進に道を譲り、後年の世界企業に向かう大発展の土台を築き上げた。「中興の祖」の賞賛は、社内の評価はいざ知らず、さすが天下の日経の慧眼と、以て賞すべきであろう。

蛇足ながら同時期に筆者がＣＥＯを務めたシステム子会社には、当時１００億円に近い の不良資産および不良人材がすぐっており、３年半間の在任期間で本社了解の下全てを償却した。親会社のグローバル化に伴い、事業の拡大と共に財務内容もCash Richに健全化したことは慶賀に堪えない。近い将来、グループのＩＴ・ＤＸ化を主導できる実力の涵養が望まれるところである。ちなみにその責を負うべき筆者の前任者は、コンピュータ事業・新規事業担当役員であり、当時の社長に、株式投資で稼いだバブルを「実業たる」新規事業に投資すべきと進言して、放縦な投資を急拡大したその人であった。

〈新規事業を主導する社内部門〉の在るべき姿とは？

事業経営に携わる限り、時に利あらず大きな損金が生じることはやむを得ない。問題はその発生の在り方と、その損金の将来動向見通しの判定と事業継続の可否に関する経営判断である。新規事業の場合、既存事業と異なって事業の場合、その事業の本性がつかめないので、進出の決断に加えて、赤字が進行するときの見通しがつけがたい。まして撤退の決断はなおさらである。

いずれの局面においても経営判断は厳しいものにならざるを得ないので、進出に際して経営判断の基準を予め定めておく必要がある。その中でもとりわけ大切な基準は、会社の起業精神や理念に関わる点である。「何のための事業進出なのか？　それは会社全体の創業の精神、事業目的、企業風土に照らしてどのような意義を持つのか？　例え事業として失敗したとしても、将来の経営に向けて継承できる成果が期待できるのか？」今一つは経営の執行の基準に関する事項で、収益、成長、投資、事業構造などの指標設定である。そして、これらの重要事項に関する事柄は、会社の取締役会、執行役員会で議論されて、共有されていなければならない。

その対極に位置づけられる悪例とは、上記の基準に鑑みることなく、一握りの首脳陣、一事業部門、開発、生産、営業の中の一部門が、理念を欠いたまま独走することである。見通しの合理性を欠いたまま赤字事業の継続を強行しようとする際に、非常ブレーキをかけてこれをストップさせるのは、経営スタッフたる財務・管理部門の責務であり、通常このケースを辿る（註）。

しかし、本来社内の事業部門が暴走するときにブレーキをかけて、撤退作戦を主導するのが使命の財務部門が、稀に事業の推進役として突進することがある。米国で有名な事例として、ハルバースタムが〝Reckoning〟で描いた、マクナマラ率いるWIZKIDSの主導する第二次世界大戦後のフォード自動車の立て直し経営などの失敗事例が挙げられる。日本で卑近な例としては、オリンパスの財務畑出身の社長が、金融投機などを繰り返して、巨額の損金を発生させたことが知られている。

筆者が経験したところでは、事業遂行に当たってしばしば部門間の抗争が生じる中で、人事部と管理部は社長の直属スタッフとして、幹部社員や事業の動向に関する秘密情報をも保持しており、これを社長に報告する特権を有した組織であった。これは前述の御家騒動の後、社長となった小田原大造の権力保持装置であった。にもかかわらず尚彼らは他部門とは横並びの存在であった。ところが小田原の跡を襲った妹婿で旧制五高、東大工学部出身の米田健三が急逝の後社長に昇格した財務担当専務および、その後二代の社長が財務畑出者で占められることになった。その結果、財務・管理部門は公式・非公式を問わず、実質的には他部門に並ぶなき権勢を有するに至った。

この流れの中で発足した新規事業発掘・推進のための〝事業開発室〟は、他部門とは隔絶された社長直属組織であった。トップはエンジニア出身の事業部長経験者であったが、日常の業務執行は社長の信頼厚い優秀な財務マンがこれを仕切っていた。

コンピュータ事業はこの執行役とその配下の財務マンという WIZKIDS が米国のＶＢに誘われてＶＣと協力して発議・推進していったプロジェクトなのである。

前述のように社長と、本来「止夫」の役回りを果たすべき、社内の最強・最上位部門、が突進していくときに、彼らを押し止める機能は社内には存在していなかったのである。

アメリカンフットボールのゲームで、クォーターバックが突進してタッチダウンするようなものである。奇襲は一度は成功するかもしれないが、事業経営のように Going Concern での持続的成功は望むべくもない。この失敗、それも我が国の15年戦争のように、回避し得た大損害にまで突進してしまったのは、上記の大原則を無視したことによるところが大きい、といわざるを得ない。奇しくも本書が分析の対象とした十五年間は、「局地戦での勝利」にもかかわらず、主戦場での壊滅的敗北の期間であった。この事業の失敗による巨額の資本の喪失は、社を少なくとも5年は立ち上がることを不可能に陥れたことを思えば、その原因の究明は株主は勿論のこと、取引銀行、そして何よりも他事業で苦闘する社員に明らかにしておかなければならなかったものではなかろうか？　そのような経営事跡の成功、失敗は Steak Holder 達に明らかにするという経営の透明性こそが、この会社がメジャーな World Enterprise に飛躍するための一里塚として、記録に留め置かれて然るべきであろう。

（註）社長直属組織で、実質的に経営管理部が他部門のチェックを受けずに社長決裁を得て、事業を執行していったやり方を、〝本来チェック・アンド・バランスの役割を担うべき部門の暴走〟、と評しているが、近代経営にあっては部門間の相互牽制機能が働くように業務分掌に定められているのがコーポレイト・ガバナンスのイロハであるのに、同社にあってはなぜこの10年間に限ってそのタガが外れてしまったのか？が問われなければならない。

官公庁はもとより財閥系企業にあってはこの点が厳しく定められており、文書管理が最も重要なるゆえに、古くは文書課長ないしは業務課長が組織の筆頭に位していたのである。関西の急成長企業に於いても、主として外部から入社した幹部社員の発声によってその必要が叫ばれ、その体裁がようやく整ったところであったが、未だ企業行動に受肉されるまで浸透していなかったと言わざるを得ない。

第五章
日本の産業界が覚醒のために、為すべきことは？

以上、ソリッドワークスを軸にしてＩＴ事業の起業と経営、これを取り巻く新旧産業界の歴史的展開、日米の産業政策の比較について、筆者が体験した新たな世界とその道を共に道を切り開いてきた友人たちとの、〝ビジネスを通じた心の交流〟の記憶を述べてきた。

この過程で筆者は欧米社会に在って日本に欠けている文化、社会、人間観を根源的に批判してきた。その悲観から生じて、今日の事業の中心を欧米で創出されたソフトェアやＩＴ関連システムの日本に於ける輸入再販活動に置いてきた。しからば、日本に未来はないのか、と問われれば、下記のような理念の転換と、社会の在り方の根源を変えることが出来れば、十分にその可能性はあるとみている。問題はそれを自覚して、その解決に向かって自らを変革できるか否かにかかっている。

その体験を通じて筆者が今日抱く、今後の日本の産業と社会経済が目指してほしいと願う世界像を記して、本書の締めくくりに代えたい。

1. 社会構築の転換を主導する科学・技術開発を根本で支える普遍観念への覚醒
2. 新技術・システム開発に根差した、新規事業の起業と世界市場へと展開戦略
3. 日本産業の高付加価値化（高生産性化）に向けての、産業構造の高度化
4. 欧米中心の貿易構造から、アジア中心の地域経済共同体形成へと転換
5. 輸出産業主導経済をエコロジー再循環構造の内需主導型国民経済へと転換
6. ＩＴ事業人の心情と行動を、人種・国籍に関わらず開放されたコミュニティ志向へと転換

1. 社会構築の転換を主導する科学・技術開発を根底で支える普遍観念の認識

すでに述べたところだが、日本の歴史は古代から近代に至るまで、その政治社会制度から経済制度を支える科学・技術に至るまで、つねに先進国文明を模倣して、これを日本の土着社会に適応・改善して作り上げたものであった。手本としたのは、古くは中国・インド、近

来は欧米であったが、その導入したのは社会や生産を統べる制度・技術であって、それを創りだした創造主やその原理、さらには創造主と宇宙の関係について系統的に理解して、これを思想・信条（世界観）にまで高めるまでには至っていない。

日本人は文明の輸入に際して歴史的にその下部構造のみに限定して、その基底にある上部構造の理解信条の摂取を意図的に除外してきた。

半導体の低コスト製造は得意だが、その原理となる論理回路の創出・設計能力が欠落していて、専ら下請け製造構造に甘んじている、という悲しい現実の中で生きているのである。

欧米社会で生み出される科学技術の成果は、一見方法論や適応論に見えて、その実土台となっている、創造主、とりわけ絶対的人格神による宇宙創造の原理が根本に存在してこれを支えている。欧米の研究者や開発者は意識すると否とに関わらず、この思想構造の中に在る。多くの日本人は、世俗化が進んでいる今日の欧米社会では、それはもはや過去の神話に過ぎない、と一笑に付す向きが支配的であるが、筆者の経験からはそんな結論は導き出せはしない。

しからば問おう。日本から世界の労働・生活原理を一変せしめて人々に、〝真の幸福〟をもたらすような革命的原理は何ゆえに生まれてこないのか？　と。

日本人が、長い歴史の過程で〝それはさておき〟と置き去りにして、目先の現実対応〝Application〟のみに適応してきた生活態度を、それを遡る原理の解明・信条のレベルにまで深めかつ広めない限り、今後共、追随者としての地位に甘んじ続けるであろう。

社会経済構造の変革やＩＴ社会の創出を唱える前段階で、この問題を解決しておかないことには日本はもう前には進めない事態に直面しているという「現実」に、もうそろそろ気づかなければならない。

2．新技術・システム開発に根差した、新規事業の起業と世界市場に向けての展開

人類社会は今日、地球温暖化現象に見られる通り、従来型の大量生産・大量消費の生活スタイルが続く限り、地球の自然体系の健全な再循環構造を維持できなくなってきているのは明らかである。これは人類社会がその経済制度を欲望の欲するままに、「資本と市場の論理」（新自由主義原理）に委ねてきたことの結果であり、その社会は一握りの富めるものと大量の貧しきものに両極分解した不安定な社会に陥っている。

これを根本的に是正して、人々の人格の尊厳を以って健全で公平な社会に生きられる公平

な正義が貫かれる制度に回帰する道は、市場の外で資本の論理とは異なる共存の原理で運営される、公共経済資本の原理が貫かれる領域を確保する必要性が論じられている（宇沢弘文）。しかし、より根源的には、自然の生態系がバランスよく自己循環するような、人間の生き方そのものの変換が求められているのである。

そのような大きな流れは、国際機関や各国政府によって論じられ実行されることであるが、(EGS, SDGs) 人類の歴史が示しているところでは、そのようなパラダイムシフトが生じた局面といえども、そのエネルギー源となって歴史を動かして来たのは、人々の生き方の革命、とりわけ農業や工業の生産現場における「下からの」技術革新という起動力であって、決して政府や特権的大資本など「上からの」圧力ではなかった。

本書で述べたＶＢと、これを資本面で支えた主体は、小資本の集合体ＶＣであった。

日本でしばしば聞かれる議論として、『日本では何ゆえに欧米に見られるような、世の生産方式や生活スタイルを一変するようなGenericな技術革新と、それを事業化するようなＶＢが生じないのであろうか？』

その思想的・信条的大前提を欠いていることは、すでに見てきたとおりである。これが誤っていると断じる向きは、説得ある普遍的反論を用意しなければならない。たとえGenericな「革新」が日本に生まれたとしても、これが「開発」から「事業」（の成立）として展開していくためには、製品が〝値ごろ〟で、専門知識を有たない普通の人にも使える〝使いやすく〟、関係する機能と連動できることが必要条件となる。今日のグローバル化した世界でこの条件を他者に先駆けて実現するためには、まず同志を募って起業（ＶＢ）し、開発のための資本家（ＶＣ）を募り、資本を回転させていくためには、世界同時発売が必須条件となる。そのためには販売網を世界中の主要市場に向けて、速やかに張り巡らせる必要がある。今まで〝大化け〟して成功を収めたＶＢは、すべからくこの道を歩んできているのである。さすがに世界有数の貿易国家日本には、国際的対人交流・対話力、国際レベルの技術力、対外投資家など国際適性を持つ人材や組織は存在するが、これらを糾合してＶＢの奉じる〝理想と未来の姿〟に資本を投じ、必要なら経営指導まで行って事業の成功にまで導く（国際的）ＶＣが実在するのかと問われれば、〝否〟といわざるを得ない。

日本が誇る世界に冠たる流通資本〝総合商社〟もこの点でおよそ役に立ちそうもない。

米国の恐ろしいまでに凄みのあるところは、理念の構築から始まって人種や信条に関わらず同志を集めて、事業の実行・拡大を通じる資本の拡大再生産を組織的に具現化（implement）して、目的を達成・成功に導くプラグマティック（pragmatical）な能力なのである。残念ながら今日の日本人と日本社会には、彼らのような総合力とオープン・マインド（開かれた心）を持った業務遂行能力はない。過去数十年の国際社会との交わりが、むしろ土着性で再編成されて、奇妙で臆病な閉鎖社会の殻に閉じ籠ってしまっているように見える（ガラパゴス＝孤島化現象）。コンピュータやインターネット、携帯電話は国中に行き渡り、Ｃｌｏｕｄすら広がりつつある日本は一見ＩＴ、ＤＸ大国に見える。しかし、その実態は先ごろのコロナ対策で経験した通りである。省庁、地方公共体、政府団体を相互に交信しながら市民の生活の目的にかなった情報システムを提供する、という通信の基本たる公共性と相互交信性はこの社会には存在していない。あるのは「日立村」、「富士通村」、「ＮＥＣ村」、「電通村」などという〝タコツボ〟閉鎖集団が官僚機構と癒着して、集団を再編成して自己増殖していく流儀が支配している（新たなる家産官僚制産業国家＝ライトウルギー）。公共システムの作成に際しても、目的に適った〝要件定義〟とその伝達方法を定めるＩＴシステムの専門家を組織の中で正当に位置づけず、現場のサービスの実態を知らぬ個別の（コード作成業者たる）ＩＴ業者に丸投げするのが常態ゆえ、出来上がったシステムは日常の現場とかけ離れていて使い物にならず、システム相互の互換性もなく、主権者たる市民がひたすら迷惑を被る結果に陥る。

国際性のある大企業は資本と販路を有するが、固定比率が高く、既得権益の保護を政府に委ねる守旧集団（『旧世界』）なので、斬新な発想で既得権益を打破しながら自らの生存を賭けるＶＢのような革新集団（『新世界』）とは、初めから水と油の関係なのである。政府が〝日本でＶＢを育成しよう〟との掛け声をしばしば聞くが、家産制産業国家の権化の官僚がそのような二律背反の旗振りをしたところで、市民社会にオープンに開かれた市民向けシステムの構築など望むべくもない。まずは産業経済社会の土台から作り直してから、『新世界』に歩を進めるべきなのである。

３．日本産業の高付加価値化（高生産性化）に向けての、産業構造の高度化

日本経済は１９９０年代から２０２０年代に至る30年間にわたって停滞を続け（失われた30年）、この間の庶民の生活水準は、米欧、中韓などの上昇には遠く及ばない。その一方

で金融資産や土地資産の保有者、大企業の資産は健全な投資を忌避して、いたずらに蓄積を増している。この間に実施した消費税の値上げは、企業の内部蓄積に食われてしまった感がある。

これは社会の老齢化と少子化による労働人口の減少が、経済成長余力を縮小させていることがまず挙げられる。欧米諸国では、この労働力不足を海外からの移民によって補っている。日本では海外からの「研修生」によって労働力の実質補填を行っているが、少数に留まっており、今回のパンデミック化によってその流入が一層阻止されている。

すでに述べたように、この間プラザ合意による円高、ソ連・東欧崩壊による低賃金労働力の自由市場への流入、中国経済の急激な台頭などによって、企業はこぞって海外移転した。当初は日本企業の部品下請けの色彩が濃かったのが、本体ごと丸ごと移転も目立つようになった。

この間、日本産業は高付加価値が叫ばれながら、米国が行ったような鉄鋼、自動車、家電などの低付加価値・旧来型産業を日本や新興国に任せる一方、構造の高付加価値化に向け産官軍学の共同による、集積回路、ＩＴ、画像、ソフトウェア、インターネット、ＶＲ、生命科学への集中に加えて物品輸出主導型から内需主導型へのような構造転換は行なわれなかった。一部の旧型産業の好調に加えて、構造転換に対する重厚長大型産業界の政治力による抵抗がそれだけ強かったといえる。今日においてもなおしかりである！

加えて、日本はエネルギーと食料の大半を輸入に頼っているため、輸出主導型の産業構造からの変換が遅れてしまっているのである。

成長余力が極めて限られている限り、生活水準の向上は労働生産性の向上に掛かっている。その最たるものは産業界と公共体とを問わず全生活分野にわたってソフトウェア、ＩＯＴの全過程における適用によって、人の関わる単純労働を置き換えていかなければならない。この面における欧米に対する遅れは甚だしい。

ベンチャーの澎湃たる輩出が望まれるゆえんである。

今一つは、原子力、火力発電に代わる自然エネルギー、自給型エコロジー産業など、新産業の創出である。老齢化先行社会に見合った介護、福祉関連産業の創出も期待される。高付加価値の最たるものは、独創的かつGenericなソフトウェアやシステムを創出して、これを効率的なベンチャーに健全な経営体を育成させて、世界市場に展開することに尽きるが、すでに述べたように、これは現在の日本人と日本社会にとっては至難の業である。しかし、日本人特有の得意分野に特化して、部分的ながら最適な効果と最大の利益を享受する方法はあり得るのではないか？

かつて、米国でベストセラーとなった『ザ・ゴール』によれば、〝日本人は部分的な最適解を実現するのは最も得意だが、全体最適を実現する能力は持ち合わせていない〟といわれたことへの回答である。部分最適で良いではないか！　Genericな原理を自ら創出しなくても、その成果物を組み合わせて、これを更に純化して人々に最も愛される、〝最適解〟のソフトやシステムを創出すればよいではないか？（事実スティーブ・ジョブズの創造した世界はそのようなものであった。彼は要素技術を開発することなく、既に原理が確認されている技術＝Proven Technology）を組み合わせて最適システムを創出して、人々の生きざまを転換＝Paradigm Shiftしたのである。そして本書に登場するソリッドワークスまた然りである）。しかしこれとても険しい道である。なぜなら、ハードウェアと異なり、ソフトウェアはその付加価値の最大の部分は上流側すなわち原理の創造と開発のマネージメントにあるからである。これをEase of Useにまで仕上げていく、マン・マシン・インターフェース（man machine interface）作成など下流側部分に携わる技術は単純労働であり、従って付加価値は低くて済むからである。しかし、この過程でもかつて日本産業が生み出してきた、最適組み合わせと改良の蓄積作業によって、思わぬ付加価値技術システムは創出できるかもしれない。事実この可能性は随分以前に米国でも日本脅威論の一環として検討されたことがある。『ソフトウェア・ファクトリー』と一時はもてやされていたが、日本がその方法で成功したという話は聞かない。

今一つのチャンスは流通分野にある。ＳＷＣの成功例で見た通り、その仕組みづくりに独創性があって、大量のユーザーから支持されれば、大量の収益を収めることが出来る。その仕組みづくりと販売チャンネル創出の妙を得られれば、高付加価値産業に転じるチャンスはある。

4. 欧米中心の貿易構造からアジア中心の地域共同体経済への転換

今まで述べてきた、日本人と日本文化に染み付いたハンディキャップを前提にしながらも、日本の地理的・人種的特性を利して産業を高付加価値に転じ、そして何よりも人々が資本や技術の奴隷になることなく人間性を謳歌できる社会を実現するためには、産業における開発と生産関係・対象市場の選択アプローチを逆転させることが必須となって来る。

現在は欧米とは水平的分業関係（ただし、原理部分は日本が下請け関係）、アジアとは垂直的分業関係（日本の部品の生産と組立下請け）となっている関係を、地理上・人種上水平関係に置き直す。リモート（Remote）環境でのインターネットを利した情報の同時対話（DX・メタバース）、更には移民も含む人間の移動の自由化を敢行して、この関係の逆転を日常化しなければならない。世界で最も閉鎖的といわれている日本の移民政策も、産業界の人不足対策の要請に押されて、研修や専門家の長期滞在という名目の下、移民は徐々にではあるが、事実上拡大して、日本社会に根を下しつつある。とりわけIT関係の大量移民政策を実施して、この国のソフトウェア産業の再生を図らなければならない。

これらの人々は主として工場や建設現場・農場の労働者、公共事業の従事者、看護・介護等福祉関係業務従事者（エッセンシャル・ワーカー）である。この業種に加えて今後の日本社会を豊かにするのに欠かせない領域は、大学や研究機関に勤める卓越せる研究者、大学に留学する優秀な学生たちで、アジア、アフリカ諸国から多数が日本に在住することが欠かせない。米国の強さの源泉となっている海外の優秀な頭脳が、日本の資源と食料を始め工業製品に至るまで、数万キロを隔てた地域との依存関係よりも、出来うる限り国内で調達し、輸入必需品は極力近隣の東アジア、東南アジア主体とすべきである。そのリスクをも極小化して国の安全保障を確実にするためには、労働も移民に依存することが必然の動きとなるはずである。戦前の日本の大東亜共栄圏のスローガンが、その実自らを頂点とする垂直型統合であったのに対して、近未来のアジア共同体は水平、人種平等型のインターネットで結び付いた緩やかな関係でなければならない。

最大の障壁は、日本人と社会が明治維新以来染み付いた欧米崇拝、アジア蔑視という垂直型の差別意識であり、そこから脱却して民族・国籍に関わらず平等な人間観に立脚した、真に自由でグローバルな水平型の人間社会を日本国内と近隣地域に構築できるか否かが、明日の日本が国際社会で生き残れるか否かの鍵を握っているといえる。

5.「輸出産業主導型」から自然環境循環の「内需主導型」国民経済への転換　資本主義の市場原理と社会的共通資本＝コモンの並立するエコロジー社会の構築

これは一見本稿とは逸脱する主張に見えて、実はその核心的結論である。

ＳＷＣの〝事例研究〟でも明らかなように、人は資本の論理やその道具を提供してきた科学・技術の論理のみでは動かない。むしろ人間性＝理想とその実現への熱意こそが社会や企業を生かすのである。まして、資本の論理の徹底が地球の自然を破壊し、温暖化によってその生存環境をも脅かすに至っている今日、そのあるべき経済社会システム、そしてそれを最適にして最速に実現するための科学技術、とりわけソフトウェア・システムの創造が取り組むべき姿は自ずと明らかである。

1．で述べたように、今やＥＳＤとＳＤＧｓは時代の流行標語となり、資本に奉仕する企業の多くもこれを意識して行動し始めている。しかし、問題はその実行スピードと標語と地球環境規模で測った時の実質効果である。例えば、自動車の駆動源をガソリンから電気、あるいは水素に変えたところで、その代替資源の取得にそれを上回るエネルギーが費やされており、自然の好循環（デカップリング）には繋がっていない。これを抜本的に改革するためには、大都市集中による大量生産・大量消費型の生産・消費の成長最優先型の生活パターンを転換しなければならない。地方分散の地産地消型の中小企業をネットワークで繋ぐ、分散型生活パターンへの転換である。そして、宇沢弘文などが唱えてきたように、経済活動をすべて私有財産と市場原理にゆだねるのではなく、教育、医療、介護、福祉など公共の用に供する事業は、社会公共経済資本として、市場原理の外において、別の原理でコモンあるいはコミュニティの経営にゆだねるべきなのである。その計画と実行にソフトウェアこそが最大の貢献をなしうるはずである。ここにおいてもSWCの実験に耐えたコミュニティの経営原理は、十分その原理を提供できる実績を有している。

6．IT事業人の心情と行動を、オープンマインドに転換
「新たなる人間類型」↓「開かれたコミュニティ」の建設＝「民主化」

筆者のSWCへの賛歌の旅はこの辺りで終焉を迎えつつある。文中でこれその対極にある旧来型の日本企業の行動パターン、その背後にある文化と歴史を通じて醸成された思想的底流（通奏低音＝Basso Ostinato）については酷評を下してきた。

しかし、この『新世界』に生きた幸運に恵まれながら、なお克服できなかったのが社員の〝コミュニティの仲間〟である米国人に接する姿勢＝信条と行動パターンである（欧米人以外に対しては尚更である）。

コスタ・デル・ソルのような親睦会においてすら、個人として彼らと交わらず、日本人の

みで群れて行動するあのパターンである。言葉のハンディキャップがあるのは分かる。しかし、ほかの国の人々を見ると、発音に訛りが強く日本人だけできないのではない。むしろ一人の人格として心を開いて外国人と交流して、互いにコミュニティの一員として人格的に認め合うか否かなのである。

SWCでは年一度コミュニティの祭典として、世界中からユーザー・販売代理店・パートナーを招いてユーザー会を催す。技術・販売・教育などの分野別に分かれて、世界中の参加者が業務別に参加して、互いの情報を交換、共有し合うまたとない機会をSWCは用意してくれる。しかし、不思議なことに、どの会場を見渡しても、日本のユーザーの発表会場を除いて、国別で最大の参加者を送る日本人を見かけるのは稀である。自分がコミュニティの大事な一員であって、コミュニティの成員の義務としてその貢献が求められている、という自覚におよそ欠けているといわざるを得ない。では、彼らは一体どこに消えているのか？なんと会場を去って市内見物と土産物買いと、それに同行するSWJ社員の姿がそこに在った。この悪習はユーザーゆえのことで致し方ないかもしれないが、他国の参加者から顰蹙を買う悪習がいつの間にか定着してしまっている。極め付きは冒頭の総会の際、100人になんなんとする日本からの参加者のみが、テープで囲われた会場の中央に居座って、同時通訳の恩典を得ている風景である。同時通訳は致し方ないとしても、なぜ他者から目立つように集団で固まって、同一の行動をとるのであろうか？

これでは強権主義で知られる近くの国家を非難することなど出来ないではないか？

半世紀近く昔にニューヨークに駐在した頃、ある造船会社の人に諭された記憶が蘇る。某社が輸出の急増に対処すべく〝輸出要員〟の拡充のために半年ごとに短期駐在のローテーションを繰り返していたのを見て、その方は〝ビジネスがあって友人ができるのではなく、その逆です。かの地に家族と一緒に長く住んで、社会に溶け込んで友人が出来てその国の仕組みが分かるようになった結果、そこからビジネスというものが生じてくるのです。御社はそこのところを勘違いしているのではありませんか？〟。

外資系企業に勤める人々も、黎明期は外国人の中に一人投入されて、言葉もままならず、製品情報もカタログ・マニュアルなどもなく、すべて翻訳、手作りだったので、否応なしに外国人社会に溶け込まされたのである。彼らを外資一世と呼ぼう。翻って、その次の世代は、それらがほぼ揃っていて、一世の上司たちから情報が得られるので、本社と直接交渉することもなく、日本企業に勤めるのと大差なく、ただ外資の優越感と高給を食むのみとなって、却って〝外人〟と交わらなくなって、その心情、文化のバックグラウンドなど学ばなくなっているのである。これが〝外資二世〟の実態である。

実は、この風潮はユーザーの姿勢にも通じるものがあり、IＴの導入が一段落して、身辺で情報機器が利用されるのが日常化すると、彼らの前世代が失敗を重ねながら導入に苦闘したプロセスから学ぼうとせず、導入の機器やシステムは自動的に作動するものにしか手を出さず、それも関係部署の意向を聞きまくって、彼らすべてを満足するような（過剰）仕様を製品価格にお構いなく要求してくる。その結果はといえば、日本のIＴ化が世界から周回遅れのガラパゴス状態に陥る姿を招いている。

昨今のパンデミックに対応する官公庁のIＴ対応の無策もその例外ではない。

これらの根本問題は、すべて日本人という人々の心の在り方の閉鎖性に起因している。

〝Japan as No1〟と嘯いていた日々の根拠ない過信はどこへ消えてしまったのであろうか？

そして、ＳＷＪの社員たちは、本当にその成功の背後にあった創業者の〝精神の神髄〟とこれを理解して、日本社会に敷衍していった「外資一世」からどれだけ学び得たのであろうか？

振り返ってみると、コンピュータ・ソフトウェアの発展の歴史は、テクノロジーの発達に見えてその実、使用者からの「民主化」の要請の実現の過程に他ならない。情報ツールが民主化の具現化に寄与しているのに、肝心のそれに関わる主体たる人々の精神が民主的でなければ、彼らが形作るコミュニティも又前近代的なものにとどまらざるを得ない。戦後日本の民主化の必要条件として日本人の「近代的人間類型」への脱皮が唱えられて久しいが、前述した〝日本社会の情報化の遅れ〟の根底には、実はこの問題が依然として未解決のまま横たわっているのではないだろうか？　かつて大塚久雄教授が唱えた『近代化の人間的基礎』は未だしの感を拭えない。

第六章
ビックとソリッドワークス・コミュニティと過ごした楽しい日々

〈アルハンブラの想い出〉

ＳＷ日本発売開始間なしの１９９６年5月初め、ＳＷＣ及び主要販売代理店の幹部・代表者の家族が、親睦のためにスペインの地中海岸コスタ・デル・ソル（Costa del Sol）の保養地マラガに集まった。ジョン・H、ビック、ジョー・エスポジト（経理部長）＝Comptroller)、ジョニー・マック、ホリー・ストラトフォード（社員弁護士＝Inhouse Attorney）など、日本からも営業、マーケティング、技術、営業技術責任者が日米から飛んできた。外資企業では年度末まで業績目標達成のために必死で戦い終えた後の一〜二月頃に業績優秀企業や社員たちを表彰し、慰労を兼ねて家族ともども保養地に招待される恩典に浴する風習がある。筆者は、この後はその特典を営業関係者に譲って、専ら日本で留守番役に徹していたので、とりわけこの旅は想い出深いものとなった。妻も交えた、ビックとその妻ダイアン夫妻との長く続く友情の始まりとして。

筆者夫妻はパリ在住の旧友宅を訪ね、純白の花の咲き誇るマロニエの街路樹の都を後にして、地中海に面するマラガへと飛んだ。真っ青な海辺に沿って緩やかな丘陵に建ち並ぶ、橙色の屋根と白壁の南欧風の家々、緑の枝に咲くピンクのブーゲンビリヤ（スペイン語名はメラネウ）の風景が訪れる人々をえも言えずリラックスさせてくれる。

（註）日本がJapan as No.1と嘯いた頃、通産省が〝働き蜂の日本人は、余暇と停年退職後のライフを海外に移住して楽しむべし〟と唱え、その候補に挙がった三か所の一つが、Costa del Solであった。日本人はあらゆるものを世界に売りまくって、遂には老人をも輸出するのか！　と揶揄されたのがこの地である。非難はさておき、この景色と食物とりわけ人情の良さは、老後を送るにふさわしい！　その歴史と文化を味わう心情があればなおさらであるが。

我が夫婦は参加者の多くがゴルフを楽しんでいる間に、町の名所ツアーの群れに紛れ込んでピカソの生家を訪れ、当地特産の海の碧と石灰石の白色の織り成す色柄の陶器を買い求めた。その中の三つのタイルＳＥＯは今なお我が山小屋の入口を飾る表札となっている。日本からの参加者の多くは、外資の人に似合わず、各地から来た新しい仲間達と交わることもなく、仲間で〝群れて〝行動を共にする〟日本人の行動パターン〟の例外ではなかった。

何といっても楽しかったのは、ビックが雇ったベンツでビック・ダイアン夫妻と筆者夫妻でグラナダのアルハンブラ宮殿への日帰り旅行であった。道すがらの石灰岩の風化した白い土石とコルクやオリーブなどの灌木の緑の織りなすまだら模様のシエラネバダ山脈を越えた地中海に面してグラナダはある。イベリア半島のイスラム王国最南端・最後の拠点であり、イスラム風大宮殿アルハンブラ（スペイン語風に発音すればアランブラ）はアンドレ・セゴビアが奏でるその〝遥かな想い出〟のこもる地である。途上山頂で立ち寄ったレストランで、シェフがかつて名古屋万博でスペイン館の料理人を務めていたことがあり、当時を盛んに懐かしんでいた。ここはレコンキスタ（イスラム教徒に何世紀も占領された国土のスペイン人による領土回復）最後の大要塞であったところで、栄華を極めた時代のイスラム・アンダルシア王国の矩形の池と噴水が織りなす庭園家屋のシンプルな組み合わせの構造美の極致が盛時の名残をとどめる。古代イスラエル同様、偶像を徹底して排除するイスラム教ゆえ、後に取って代わったカトリックのような絵画・彫刻・建築などの絢爛豪華な造形装飾の姿はない。代わって征服者（Reconquistadores）イサベラ女王とフェルディナンド王の一時期の王宮として急ごしらえで改築された部分は、ごてごてして美の統一を欠くうらみがある。ちなみにグラナダの陥落は１４９２年で、これはコロンブスがアメリカ大陸を発見したのと同じ年でもある。日本では英語の教科書の文法（受け身文）の例文のお陰もあり、後者の方が断然有名だが、スペインではもちろん後者である。

翌日は飛び石連休にもかかわらず、出勤義務を負って心ならずも帰国した妻に残されて、今度は自らベンツと〝英語の話せる運転手〟を雇って古都セビージャ（歌劇『セビリアの理髪師』はもちろん英語読みである）を訪れた。ここは隣り町カディス同様新大陸発見時代に、河口から一獲千金を夢見た多くの無頼な男たちが、新大陸に向けて船出した港町である。町中に紫色の花びらが綻ぶアカシアの街路樹が縦横に走る地味ながら美しい古都で、それにふさわしく街中にカトリックの大寺院が立ち並ぶその中の一つにクリストフ・コロン（コロンブス）が会堂の地下に葬られていて、イサベラゆかりの遺品も収められている。

Old Town の河口辺りにはかつては〝高く聳えて見えたに違いない〟灯台、数多く居並ぶ物産倉庫、そして換金商の建物（Casa de Moneda・Cambia）が立ち並び、往時の繁栄を偲ばせる。

スペインが新大陸でインディオの王国を滅ぼし、金銀を略奪して奴隷貿易まで始めて世界王国として君臨するに至る、そのまさに出発点となった港町の、兵どもの〝夢の跡〟でもあった（註）。

市内には美術館が楚々と建っており、中には地元出身の画家ムリーリョの描く〝無原罪の御宿り〟の大作が他を圧して来場者を見下していた。名画といえどもここまでは人々の足が届くまい！　思わぬお宝に出会ったものであった。

〈ホテル・カリフォルニア〉

ＳＷＣと深く関わる幹部とその家族やＶＩＰ、とりわけ海外や米国の幹部出張者でこの言葉を知らぬ者はいない。

はるばる米国やカリフォルニアを訪ねるＶＩＰや親しい友人たちは、ビックの住むサンフランシスコ郊外アラモの広大な自宅にしばしば、〝泊りがけで〟招待されることから（有名なポピュラーソングに絡めて）この名がついた。ＳＦ近郊のリッチな屋敷が立ち並ぶ住宅街とはいえ、すぐそばの裏山では、夜ともなると遙か丘の上でコヨーテや狼たちが空に向かって遠吠えする姿が伺える野生との隣り合わせである。我が家族も二度ばかり厄介になった。ワインセラーの大量のストックと食事はもとより、サンフランシスコの名所巡りなど客人をリラックスさせて友情を育む最高のもてなしを惜しまないのであるからビックを嫌いになる者などとて居ない。筆者夫婦のためにはダイアン（Diane）と共にナッパ・バレー

(Napa Valley) に行き、全米5本の指に入るランドリー (〝Laundry〟元は洗濯屋だった) という名のフランス料理店で昼食し、ビンヤード (Vineyard) の Silver Oaks を訪れた時には午後4時を過ぎていたので、〝訪問者お断り〟といわれたのだが、〝この夫婦ははるばる日本からこのビンヤードを訪ねて来たのだから、少しでも見せてやってくれ〟と説得した。さすがはトップ・セールスマンの大将である。今なお、我が家には Silver Oaks のネーム入りのワイングラスがある。ダイアンは何度目かの訪問時に、スーパーマーケットに行って〝リーデル〟のワイングラスを1ダース日本への土産に買ってくれた。娘を Up State NY の大学に送り込む時も逗留して娘はプールで泳ぎまくった上に、隣人を呼んでくれて大学町への近道を聞き出してくれた。

〈社員ピクニック〉

会社発足間なしで、従業員がいまだ50、60人に過ぎなかった頃、週末に会社の近くの湖畔に家族連れで集まってバーベキューを楽しんだ。なぜか妻も一緒に参加していた。ジョンHもまだ幼稚園児ぐらいだった長男のウィリアム (William) をボートに乗せて遠くから手を振りながら筆者の名を呼んでいた (数年後、ウィリアムはジョンHの日本講演に同行した時、妻の案内で東京ドームに行き、ショップでイチローや松坂のグッズなどを見て楽しんだ）。

部下の開発の締め切りの厳守を徹底していた怖い上司の開発担当ＥＶＰマイク・ペインが、小肥りで白髪の奥さんフランシスを脇に置いて若いエンジニア一人ひとりに仕事上の相談に気軽に応じている姿に、妻は感心していた。ジョニー・マック（Johnny Mac）の活発な若い奥さんが、開発エンジニアのリック・チン（Rick Chin）のはにかむ娘に接して、〝あなたぐらいの年頃は私も同じようにはにかみ屋(Ｓｈｙ)だったのよ〟と言ったら、傍らに居たジョニー・マックが〝Still is!〟（今もそうだよ）と応じた。幹部と社員の一体感があふれる想い出の一コマである。

〈ジョンＨ夫妻の日本の休日〉

筆者の蓼科の山小屋の書棚には、鎌倉の大仏の前に立つ筆者夫婦のスナップ写真が掲げてある。ジョン・Ｈが撮ってくれたものである。微笑む姿は若き日の姿をいまなお彷彿させる。

ＳＷＣの幹部は出張の折に、時には細君連れで、よく筆者宅を訪れた。米国に比べれば手狭だがそれでも親しさは増す。初期の頃の週末に、ジョンＨ夫妻も鎌倉へ案内した。その行き帰り手狭な我がアパートに立ち寄った際、狭さを詫びたところ、〝我々の新婚時代もこんなものだった〞と言われてほっとした記憶がある（彼は後日巨万の富を得て、以前は農家の納屋だった広大な屋敷に住むことになる）。

鎌倉の静寂で楚々とした小さな寺を訪れて、赤い毛氈の床几に腰掛けて無言でじっと庭園を眺める姿は、まるで瞑想する修行僧を髣髴させる風情があった。彼の内面は窺い知るべくもないが、その理念を内面に秘めた〞Philosopher（哲学者）の趣があった。一時間ほどの電車で鎌倉から帰宅した折に、彼が〝Mr. Seo へのプレゼントを渡すのを忘れていた〞と言ってビニール袋を手渡してくれた。中身はブロンズのゴールデンレトリーバー像であった。結構重いものを抱えて、鎌倉を往復してくれたものである。筆者がブラック・ラブラドールをさる社員から譲り受けることになっていたのに、かつてニューヨーク滞在時代にロブスター目的で訪れたメイン州で手に入れた、ダルメシアンの躰に手を焼いた妻の猛反対で断念したことを彼は知っていたのである。物言わぬワン公は今なお我がリビングルームで筆者を見つめている。その朴訥な誠実さに驚くとともに、友を慮る気配りに（Sympathy）には敬愛の念（Respect）を禁じえない。

〈娘のインターンとアパート〉

その頃、娘は両親と共にホテル・カリフォルニアにショート・ステイした後、ニューヨーク州北部の大学の教養課程に留学中で、ゆくゆくは法科大学院（Law School）への入学を目指していた。彼女がクリスマス休暇中にボストンの弁護士事務所でインターンのアルバイト先を探していたので、ビックに適当な事務所の紹介を頼んだところ、〝Inhouse Attorney（社員弁護士）のホリー・ストラトフォード（Holly Stratford）の下で見習いをさせたらクレジットCreditになる〟、というので事務の補助作業をさせてもらった。事務所に電車で通えるボストン市内の適当なアパート探しを頼んだところ、〝都心のガバーメントセンター（Government Center）の自分の高層アパートに住めばいい〟と言ったのだが、これはワンルームなので、〝それはまずい〟と断ったら、〝自分はこの頃出張ばかりで、休暇中はカリフォルニアの自宅に帰っていて空き部屋だ〟というので、学生の身でありながら、ボストンのダウンタウンの絶景を見下ろす29階のライフをしばし楽しむこととなった。ＳＷＣは筆者の辞退も聞かず、アルバイト料すら支払ってくれ、小娘相手に至れり尽くせりの厚遇であった。

後日このアパートのバルコニーに、ジョニー・マックとガールフレンドがロブスターを持参して、ビックが特大のパンで料理した。なぜか我妻も居て茹でたロブスターをアメリカ風ではなく、ポン酢とマヨネーズで食したらえも言えず好評で、以後〝Fusako's〟Recipe〟としてSWC Communityで有名になった。実はこれはその昔NYCに駐在時代夏休みにメイン州に家族で出かけ、道端のロブスターを茹でてもらって、ホリデイインで新聞紙の上でこのRecipeの相性を発見したのである。ガバメントセンター29階からはるかダウンタウンを臨むPrudential Towerのハイライズのガラスの壁に映る旧館の屋根の先端の青色の玉は、得も言えず美しい輝きをボストンの夜空に放っていた。

娘はホリー宅やCFOのエリオット・カッツマン（Eliot Katzman）の家にも夕食に招かれた。（このように米国人は親元を離れて一人でいる留学生などをこまめに自宅に招いて、寂しさを慰めてくれる心温まる習慣を有する。筆者もその昔、UCLAに留学中に全国民の祝日、感謝祭（Thanks Giving Holiday）にSanta Monicaの先生の自宅に他の留学生とともに招かれて、生まれて初めての七面鳥（Turkey）料理を味わった記憶がある。南カリフォルニアのハンチントンビーチ（Huntington Beach）という高級住宅街の裕福なMD（医者）のうちに招かれた記憶もある。新約聖書に出てくる良きサマリヤ人や異邦人伝道を想起する、懐かしくも心温まる想い出である。

〝おもてなし〟の本家はむしろ米国ではあるまいか？

ＣＦＯのエリオットはユダヤ系移民の子として、低所得者層の集う街ノース・エンド（North End）に育ち、成功してイタリア人女性と結婚してマット（Ｍａｔｔ）とジョン（Ｊｏｈｎ）を授かる。ＳＷＣがＤＳと合併の後に退社して多くの投資会社に関係して、今や寒い季節にはフロリダの別荘に移り住む暮らし、寒暖の季節ごとに南北の棲み処を往復する渡り鳥（Snow Bird）の生活を楽しんでいる。

当時、マットはいまだ高校生であったが、彼は後日ＳＷＪの駐在員として日本に二年間ほど滞在して日本のビジネス（と心）を学び、ＳＷＪにも多くの知己を得た。その後、ＩＴ ＶＢで相次いで要職を占めるまでに成長した。３Ｄプリンターの Markforged のセールスのトップの後、目下生産現場の自動化システムの Tulip のセールスのトップの地位にある。弟のジョンも優秀なエンジニアで、目下Ｏｎｓｈａｐｅの技術幹部を務めている。筆者が彼らと会うのは、何時もノース・エンドのイタリア人街のレストラン〝フランチェスカ〟である。

〈親・兄弟よりも濃い仲〉

ビックと二代目ＣＥＯのジョニー・マック（Jonny Mac）を成田から米国への帰国の途上東京駅で見送った時、三人でビールを飲みながらビックが言ったこと。〝なあ、俺たちの仲は仕事付き合いでも、個人的にも親戚なんかよりずっと濃いんだよね〟（〝You know Mr. Seo, we are so close with each other, more than relatives , not only on business but also in private lives〟）

ビジネスは人格的信頼関係に固く裏付けられていて、強い紐帯で結ばれていたのである。

同様の関係は時代を隔ててＳＷＣ家族（Family）の間で保持されている。初代ＣＦＯのエリオット・カッツマンの息子マットは、現在製造ＥＲＰの企業Tulipの営業トップで、少し以前には３Ｄプリンターのベンチャー、ＶＢ、Markforgedの営業ヘッドであったが、彼を招いたのは同社の顧問、ジョン・Ｈで筆者は日本市場開拓のコンサルタントであった。ボストンでの夕食後、筆者をホテルに送ってくれる車中で曰く、〝Mr. Seoビジネス成功のために欠かせない最も本質的な条件で、ビジネススクールでは決して教えてくれないことがある。それは「人間としての信頼関係即ちIntegrity（誠意）」だ〟。この真実は１万マイルを隔てていても、二人の間で時空を越えて今も心の深いところで堅く共有されている。

〈CEOとの決別に号泣する社員たち〉

最大の〝事件〟は二代目のCEO、ジョニー・マックが父親の最期を看取るために会社を去った時の、社員の驚くべき反応であった。世界経営幹部会の際に、全社員も急遽ボストンのホテルに集められ突然〝辞任〟が伝えられた。後刻コンコードの本社に帰って〝さよならのパーティー〟の席で、信じられないほどの多くの社員が、ある者たちはすすり泣き、ある者たちが号泣する姿を目の辺りにして、筆者も嗚咽を禁じえなかった。

今日の日本企業で社長が去るとき、かくも多くの数の社員がこのような反応をするであろうか？

その夜、ビックと筆者はダウンタウンで行きつけのステーキハウスGrill 21のバーで、やるせない気分を分かち合っていた。彼が失意の中で〝俺の体中から空気が抜けていったような感じだよ〟と絞り出すように言った後、サンフランシスコ郊外はアラモ（Alamo）の自宅の妻ダイアンに、〝今、Mr. Seoとヤケ酒を飲んでいるところだよ。今彼に替わるよ〟と話していたところで、驚いたことに、ジョニー・マックがフィアンセのクララと弟と共に食事に現れたのである。彼らは談笑していたが、筆者にとっては生涯忘れられない、悲しい日の想い出である。

確かにこの理念（Concept）は人間生活の社会関係の在り方をビジネス・パートナーの関係にも適用したものであるが、現実にはこれを契機としてその成員同志に、地縁・血縁関係をも超えた人格的信頼関係に基づく強固な紐帯関係「大家族」が形成され、彼らがＳＷＣを去った後まで連綿と継続されたことは特筆に値する。これがジョン・Ｈが創業の折に提唱したコミュニティの具現化（Incarnation）した姿であった。

〈ＳＷのBuddyたちの文化への程〉

これまで、ＳＷＣの仲間たちとの思い出は、楽しいもので満たされているが、一つぐらい辛口のエピソードを披瀝してこの章の結びに代えたい。

筆者にとって米国の故郷はＮＹ、会社の在ったマンハッタンと緑に囲まれた郊外の町ラーチモントであり、コミュニティーでは家族ぐるみの友情が育まれ、その親密な関係は、年を重ねながら、今日に至っている。しかし、ビジネスを通じて最も足しげく通って、友人関係を築いたのは何といってもボストンとその周辺に散在する町々である。

筆者はビジネスの友人たちと頻繁に食事やピクニックに出かけ、野球やホッケーなどにも誘われて一緒に楽しんだ。空いている時間は努めて美術館やオーケストラ（ボストン・シンフォニー・オーケストラ＝ＢＳＯ）を訪れた。当時は未だ小澤征爾が（めったに揮らないが）常任の頃であった。

ある時筆者はビックとジョニー・マックに言った。〝君たちはいつも野球やホッケーなどに誘ってくれてとても楽しいのだが、たまにはもっと教養とか文化の香りのする所に招待してくれる気はないのか？〟と煽ったら、ジョニー・マック曰く、〝OK Mr. Seo, We will surely invite you next time to Museum or Symphony Hall. And then let's go to Fenway Park!〟（分かった。次は必ず美術館かクラシック音楽会に誘ってやるよ。その後で野球場に行こうぜ！）と来た。

ＩＴマン達は激しい毎日に疲れて、文化や教養どころではないのかもしれない。

アメリカ経済史の一端に触れた身としては、せめてアメリカの綿織物工業の発祥の地、Waltham（ＰＴＣの元本社所在地）の工場跡（現在博物館になっている）くらいは見て置きたかったものだ。

そういえば雪解けの頃、ＳＷＣの本社近くに在るWalden Pondに隣接する地に、かつてヘンリー・デイビッド・ソローが小さな小屋で2年ばかり一人暮らしをした〝小さな、小さな〟小屋（レプリカ）を訪れたことがあった。なぜかジョン・Ｈも一緒で、ショップで記念の本やＴシャツの土産をたくさん買ったりした。ジョンは〝『ウオルデン 森の生活』の作者で、エマーソンに連なる自然作家のゆかりの地に一度来てみたかったのだが、Mr. Seoのお陰で名所を訪れることができた〟と感慨深げであった。

彼はどうもタダの理科系人間とは少し違っているようだ。

〈参考文献〉

Elliott Hallett Carr 〝What is History〟 Cambridge Univ. Press 1961

（邦訳）Ｅ・Ｈ・カー 『歴史とは何か』 岩波書店 1962

Richard J Evans 〝IN DEFENCE OF HISTORY〟 1997

（邦訳）今関恒夫、林以知郎、興田純訳 『歴史学の擁護』 ちくま学芸文庫 2022

上原専禄 『歴史学序説』 大明堂 1958

丸山眞男 『日本の思想』 岩波新書 1961

黒沼ユリ子 『ドヴォルジャーク その人と音楽・祖国』
冨山房インターナショナル 2018

丸山眞男 『丸山眞男講義録 第４冊』 東京大学出版会 1998
鎌倉仏教における宗教行動の変革 ｐ229

堀田江理 『1941年 決意なき開戦 現代日本の起源』 人文書院 2016

加藤陽子 『それでも日本は「戦争」を選んだ』 朝日出版社 2009

Martin Campbell, William Aspray, Nathan Ensmenger, Jeffery R. Yost
〝Computer: A History of the Information Machine〟 3rd edition

（邦訳）『コンピューティング史』 共立出版 ２０２１
Michael A Cusumano 〝The Business of Software〟 The Free Press, Simon & Schuter ２００４
（邦訳）サイコム・インターナショナル 『ソフトウェア企業の競争戦略』 ダイヤモンド社 ２００４
Rama D .Jager and Rafael Ortiz 〝In the Company of Giants〟
The McGraw-Hill Companies １９９８
（邦訳）日暮雅通 『世界を動かす巨人たち』 トッパン １９９８
Stuart・W・Leslie 〝The Cold War and American Science〟
（邦訳）豊島耕一・三好永作 『米国の科学と軍産学複合体』 緑風出版 ２０２１
The Military-Industrial- Academic Complex at MIT and Stanford
Daniel Roos, James P Womack, Daniel Johns 〝THE MACHINE THAT CHANGED THE WORLD〟 MACMILLAN PUBLISHING COMPANY １９９０
Michael A Cusumano 〝Japan Software Factory〟 Oxford Univ. Press １９９１
（邦訳）富沢宏之・藤井留美訳
『日本のソフトウェア戦略 アメリカ経営への挑戦』 三田出版会 １９９３

日本電子工業振興会　『電子工業月報』　1992年6月号　1992

Jerry Jasinowski, Robert Hamrison
〝Making It in America〟 Proven Paths to Successes from 50 Top Companies
『アメリカ製造業の復活 トップ50社の成功の軌跡』 東急エージェンシー出版部　1996

Stuart・W・Leslie　〝The Cold War and American Science〟

Eliyahu M. Goldratt & Jeff Cox　〝THE GOAL A Process of Ongoing Investment〟
The North River Press Publishing Corporation　1992
（邦訳）三本木 亮、稲垣公夫　『ザ・ゴール』　ダイヤモンド社　2001

依田直也　『頭脳立国日本　驕るなかれ』　経済界　1991

Jerry Kaplan　〝STARTUP A Silicon Velley Adventure〟　1994
（邦訳）仁平和夫　『シリコンバレー・アドベンチャー』日経ＢＰマーケティング　1995

Howard C. Crabb　〝The Virtual Engineer〟
21st Century Product Development　Society of Manufacturing Engineers
（邦訳）吉村信敏 他　日経デジタル・エンジニアリング編集
『バーチャルエンジニア：21世紀の製品開発の姿』　日経ＢＰ社　1998

大塚隆一　『日本ラッド株式会社　50年の歩み』　２０２２

宮川公男　『不確かさの時代の資本主義　ニクソン・ショックからコロナまでの50年』　東京大学出版会　２０２１

Michio Kaku 〝THE GOD EQUATION THE QUEST FOR A THEORY OF EVERYTHING〟
（邦訳）斉藤隆央『神の方程式「万物の理論」を求めて』ＮＨＫ出版　２０２２

村上陽一郎　『科学・技術の二〇〇〇年をたどりなおす』ＮＴＴ出版　２００８
『工学の歴史と技術の倫理』岩波書店　２００６
『科学史・科学哲学史入門』講談社学術文庫　２０２１

Robert M Hazen　〝The Breakthrough〟
（邦訳）『科学が発展する瞬間』――超電導体研究に秘められた科学者達のドラマ　ＨＢＪ出版局　１９９０

三田一郎　『科学者はなぜ神を信じるか　コペスニクスからホーキングまで』講談社　２０１８

村山　斉　『宇宙はなぜ美しいのか』　幻冬舎　２０２１

Wilherm Furtwanglar 〝Ton unt wart〟 Brockhouse wiesbsdeu　１９５７
（邦訳）芳賀檀　『音と言葉』　新潮社版　１９５７

Karl Marx 〝Das Kapital〟Kritik der Politischehen Okonomie #1～#4 １８６７～１８９４
（邦訳） 長谷部文雄 『資本論』#1～#4 河出書房新社 １９４６～１９５０
Max Weber 〝Wirtschaftsgeschichte.Abris der universalen Sozial und Wirtschaftsgeschi-
chite,〟 １９２４
（邦訳） 黒正 巌・青山秀夫 『一般社会経済史要論』 岩波書店 １９５４
Max Weber 〝General Economic History〟 Introduction by Ira j Cohen Transcription
Publisher １９２７
Max Weber 〝Gesammelle Aufsatze zur Religionssziologie〟 １９２０～１９２１
（抜粋邦訳）『宗教社会学論選』 大塚久雄・生松敬三 みすず書房 １９７２
Max Weber 〝DAS ANTIKE JUDENTUM〟 １９２１
（邦訳） 内田芳明 『古代ユダヤ教』 みすず書房 １９７１
内田芳明 『古代ユダヤ教の研究』 岩波書店 ２００８
Max Weber 〝DIE PROTESTANTSCHE ETHIK IND DER GEIST DES KAPITALISMUS" １９２０
（邦訳）大塚久雄 『プロテスタンティズムの倫理と資本主義の精神』岩波文庫 １９８９
大塚久雄 『共同体の基礎理論』 大塚久雄著作集 第七巻 岩波書店 １９６９

『近代化の人間的基礎』 大塚久雄著作集 第八巻 岩波書店 1969
宮野啓二 『南・北アメリカの比較史的研究』 御茶の水書房 2013
梅津順一・小野塚知二 『大塚久雄から資本主義と共同体を考える』 日本経済評論社 2018
上山安敏 『宗教と科学』 岩波書店 2005
Peter Temin 〝THE VANISHING MIDDLE CLASS〟 MIT Press 2017
同志社大学良心学研究センター 『良心から科学を考える』 岩波書店 2021
Karl Polanyi 〝The Great Transformation : The Political and Economic Origins of Our Time〟 1944、1957
(邦訳)『大転換 市場社会の形成と崩壊』 野口建彦・栖原学 東洋経済新報社 2009
Hirofumi Uzawa 〝Economic Theory and Global Warming〟 Cambridge Univ. Press 2003
(邦訳)『経済理論と地球温暖化』
〝Economic Analysis of Social Common Capital〟 Ditto 2005
(邦訳)『社会的共通資本の経済解析』
佐々木 実 『資本主義と闘った男』 講談社 2019

斎藤幸平　『人新生の「資本論」』　集英社新書　2020
久保田鉄工株式会社　『久保田鉄工80年の歩み』　1970
株式会社　クボタ　『クボタ 100 年』　1990
沢井　実　『久保田権四郎 国産化の夢に挑んだ関西初の職人魂』　PHP 研究所　2017
日本経済新聞社　私の履歴書　『小田原大造』　1962
農機春秋社　『風雪50年　宮地吟三』　1981
牛尾栄次　『牛尾榮次　従心小史』　1976
住友化学工業　『住友化学工業株式会社史』　1981
Daniel Roos, James P Womack, Daniel Johns 〝THE MACHINE THAT CHANGED THE WORLD〟　MACMILLAN PUBLISHING COMPANY　1990
(沢田 博訳)『リーン生産方式が、世界の自動車産業をこう変える。』　経済界　1990
H・Thomas Johnson/Anders Broms　〝Profit Beyond Measure〟
Extraordinary Results through Attention to Work and People
『トヨタはなぜ強いのか』　日本経済新聞出版　2002
藤本隆宏　『日本のもの造り哲学』　日本経済新聞出版　2004

大野耐一　『トヨタ生産方式』　ダイヤモンド社　1978
和田一夫　『豊田喜一郎文書集成』　名古屋大学出版会　1999
日経ビジネス01，24〝中興の祖ランキング「失われた30年」に輝いた経営者たち〟　2022

〈筆者による講演〉

日本電気機械振興会
アプリケーション・ソフト事業　1992

中部生産性本部
〝産業社会論から観た『第二次製造革命』の到来〟

日本工業大学　1992
すべて偉大なものは単純である（〝Simple is Best〟）　2013

〈おわりに〉

仕事の合間を縫って四半世紀も前の記憶をたどりつつ記述を少しずつ進めるにつれて、忘却の彼方に置き去って来た記憶が一つまた一つと芋づる式に蘇ってきて、その量は思いのほか大きいものであった。加えて、これが生じた周囲の環境——技術発展、産業構造の変化、政治経済の動向・変化、新興のベンチャー事業など——を加味するうちに記述はさらに厚みを増して、ゴッタ煮のような代物と化してしまった。

そして発生当時には考えもしなかったそれらの事象についての意味とか意義について、今日の視点からしきりに反芻を繰り返すこととなった。そこに日本に在っては上原専禄、大塚久雄などの大先達、欧州に在ってはマックス・ウェーバーの歴史観、価値観が色濃く投影されていたことは、言を俟たない。

それによってこのエッセイは当初思いもよらなかったほどに質量ともに膨れ上がってしまった。以下に本文で書き得なかった歴史の文脈と、とりわけその意味に関する重要なポイントを記しておく。著者本人による「解題」と受け取って頂いても差し支えない。

1．歴史の詳細事実を捨象した理念型の抽出

本書が対象としたわずか15年間は悠久な歴史から見れば、ほんの一瞬の出来事である。それ故、これは歴史の叙述に見えて、実は歴史を捨象した〝社会学的〟に抽出されたパターン或いはプロトタイプ（ウェーバー社会学でいわゆる〝理念型〟）として記述されている。平たく言えば分析のツールと言い換えてもよい。その妥当性については、後世の評者にゆだねるほかない。抽出された「理念型」の数々は本文を参照頂きたい。

2．この15年間が歴史に果たした決定的意味＝歴史の分水嶺

本論を書き終えた今、その対象とした時代は、わずか15年であったが、渦中にあっては気づかなかった歴史の意味に今更のごとく気づかせられる。本書で紹介した技術と産業、そしてそれを誘導した政策の展開、そしてこの間における日本と米国にとって両国の振る舞いの違いは、凋落と復権と言う歴史の流れゆく方向に決定的な差をもたらし、ウェーバー流の歴史観に立つなら、その明暗を峻別した両国の間にまたがる〝分水嶺〟を形成したのである（その内容については本文中で繰り返し述べているので、ご参照頂きたい）。

その由来について、本文中では世界の産業の覇権をめぐる米国による日本叩きと、米国自身の産業政策の革新に対する日本の政策の無策が指摘されているが、筆者はその原因はもっと深い所に存在しているのではないか、という思いに至った。それは文中で何度も触れた、文化の根本に在ってこれを支えている、思想や信条の普遍性が関わっているのではないか、という事である。日本人の国民文学ともいえる歴史観『坂の上の雲』に託した思い、欧米に追い付き追い越せ！、太平洋戦争で一敗地に塗《マミ》れたとはいえ、戦後の経済復興によって国力は一応追いつくところまではたどり着いたのだが、世界のリーダーの一角としてそこから先に何を目指して、何を成すべきかが浮かばなかったのであって、単に政策論とか産業・技術戦略では補いきれない、〝普遍的な文化・思想の構築〟において行き詰ってしまっていたのである。そして現在もその状況は本質的に変わってはいない。本文中に記したように〝普遍を忌避〟した結果、その欠如が原因と考えてきたが、実はそれも違っているのではないか、と思い始めている。いったん受容した仏教のような普遍思想を先祖崇拝などに土着化させて本来の普遍的教義を欠いたままアニミズムを色濃く残しながらいずれも現世の利益のみを期待する、疑似宗教の中に身を置いている、いわば彼岸と此岸の谷間に宙ぶらりんで浮かんでいるような、Identity（自己確認）を欠く自信のなさ、そこからくる根拠なき〝開き直り〟のアンビバレントな状態の罠に陥っているせいではないか、との推測が成り立つのである。別の国民文学として〝武士道〟が挙げられる。新渡戸稲造という人も知るクリスチャンが欧米人に紹介したその倫理観は、江戸時代の武士の子孫に止まらず歴史上広く・長きにわたって存在した〝地侍〟の末裔を通じても、広く国民の間にその精神は共有されている。しかしその実態は〝葉隠れの思想〟に見られるように、その倫理の実態が主君と言う縦糸にのみ尽くされるもので、決して普遍倫理と呼べるものではない。然らば、日本人にはそのような陥穽を克服する術はないのか？　と問われれば、過去の歴史の中にその道を探ると、丸山眞男教授が随所で述べているように、例えば鎌倉仏教の時代にまさに〝分水嶺〟を経験しているのである。

日本国民は、今やこの国は〝文化・思想の普遍〟との対決で、〝行き詰まり〟の罠にはまっていることを、素直に認識すべきではあるまいか？

3．『旧世界』と『新世界』の由来とその文化的意義

本書で随所に現れてくる『旧世界』と『新世界』というキーワードは、本文中の〝存

在と神〃に関って現れたスピノザの「世界」概念からの援用ではない。実はドボルザークの交響曲第9番『新世界より』のイメージにそのヒントを得ている。この曲は彼が19世紀末、滞在した米国で作曲・演奏されたものだが、『新世界』に在って、チェコや欧州の『旧世界』の風情を連想しながら、作風は今や生活の本拠を置いているたくましく興隆する広大な『新世界』、米国の風景に沿って仕上げられている。昔日の記憶が底流に蘇る詩情が、双方の世界の人々の共感を誘った名曲となっている。文化の歴史と伝統が根強く残る『旧世界』欧州と、その精神は受け継ぎながらも、むしろ新技術や経済力のエネルギーで力強く発展していく『新世界』米国、ドボルザークはそのいずれをも一身に背負いながら、その精神の緊張関係を力として、この名曲を書き上げたことは想像に難くない。

このような歴史の局面の対照は『前近代』と『近代』が一般的で、より鮮明に表われて来る。社会経済史でいう封建制から資本制、あるいは前期資本から近代資本への移行のプロセスである。これが西欧社会では民主主義政治社会と並行して実現していくことになる。

ここで筆者が象徴的に用いている、『新・旧世界』とはベンチャー発生の社会的背景と深くかかわっている。本文中でＩＴベンチャーの社会的実態が〝民主化＝democratization〟と重なって進行していることを述べているのは、実は、上記で実現した、社会の中産層を中心に形成された国富をベースにして築き上げられた民主主義社会が、時代と共に硬直化してしまって、産業社会も官僚化が支配して新たな発想による新技術による革新的システムを阻むようになってしまい、社会構造も貧富の差が極大化して両階層の間には人と人の人間としての心の交流は断絶していて、身動きが取れなくなってしまっていることと深くかかわっている。90年代ごろから始まるＩＴベンチャーの波は、その旧弊を打破するために、大資本からスピン・オフした才能溢れる若者たちによる、ある意味での反体制運動でもあった。米国の実情は本文中にも記述しておいたが、日本においても、ＩＴベンチャーの創業者は意外に学生運動の流れを汲む人が多い。例えば日本ラッドの大塚隆一会長などがその典型である。

『新世界』の精神を駆動する原動力はＶＢの創出する新テクノロジーであり、その事業展開は閉鎖的な中央集権の垂直型の官僚的ヒエラルキーではなく、オープンで水平型に広がる分散型ネットワーク展開によるものであった。そこは学閥や門閥、地域閥、企業系列など『旧世界』を支配する〝魔術〟を排した、開発力や構想力に基づく才能と、コンセプトを広く展開していく経営力やimplementation（具現化）能力のみがものをいう、純粋に〝合理性〟のみが支配する世界なのである。ウェーバーが一貫して唱えている〝魔術からの解放〟の原理が貫徹する世界がそこには有った。

（註）今日のハイテクの合理性論理が貫徹する世界は、ウェーバーが描いた、『古代ユダヤ教』、『プロテスタンティズムの倫理と資本主義の精神』など『世界諸宗教の経済倫理』で著されている、宗教社会学を貫く〝精神の合理性〟という基本原理の究極の姿と見ることもできる。彼はこの歴史を連綿と貫く合理化の流れを〝魔術からの解放〟と表象したのである。

そして時代はこの10～20年を起点として驚くべきスピードで『新世界』のテクノロジーと生活パターンへと移行（シフト）してしまった。そのような世界に在って我が日本のみが今日に至るまで『旧世界』での生き方の原理をかたくなに墨守して「移行」を拒み続けて世界から孤立する姿が筆者には鮮明に見えて来る。ところで本書で筆者は自ら『新世界人』の如く振舞っており、そうであるがゆえにこそ自らの出身母体をも客観的に批判できたのだが、果たしてそうであったのであろうか？

今になって冷静に振り返ってみれば、筆者は実は『旧世界』から『新世界』に移行し損なった人間、少なくともその間を往き来する何れにも帰属しきれずにいる、アンビバレントな（自己矛盾をはらんだ）存在であることに気づいている。その事は本文を注意深くお読み頂ければお気づき頂けるはずである。

4. VBとVCの有する、「創造への期待」と、「実行の危うさ」

『新世界』を駆動するこの二律背反する原理は、今なお未解決の重い課題として、未解決のまま筆者の深層心理に横たわっている。おかげで自ら奉じた会社の歴史の中で活動した先達の想い、さらには意外な評価に到達できたことは、思わぬ副産物であった。

はしなくも告白しているように、筆者自身がその経営哲学と生き方においてドボルザークのように『旧世界』を卒業して『新世界』に生きることを決意してこれを実践する迄には徹しきれてはいないアンビバレントな実在であってみれば、その意義や意味の確認ひいてはその評価に至っては、後世の判断にゆだねざるを得ないのである。

しかし確かなことが一つだけある。それはウェーバーがあの『プロテスタンティズムの倫理と資本主義の精神』の終章で述べているように、それが神に奉仕するものかはたまた悪魔に仕える存在に堕落してしまうかは、一にかかってその体制を支える〝倫理的精神態度〟にかかっているといえよう。

VBやVCが革新的テクノロジーを駆使して、ひたすらに働き、事業展開して、結果として富を得る(IPOがその典型的)生き方と、一見同じコースを辿りながらも、富の獲得が自己目的と化している場合とは、〝事業の精神〟において雲泥の差が有るのである。〝神に仕えるもの〟と〝精神を捨て去って〟マモン(物神)に仕える者〟の決定的な違いである。後者に陥った今日多く見られるVBとVCの事業は単なるマネーゲームと化して、ウェーバーの言う〝精神無き専門人〟へと堕落してしまっており、そこにはもはや次世代を担う〝精神〟は消え失せている、と言わざるを得ない。文中でラズナとSWCを〝似て非なるもの〟と峻別した理由はここにある。

5. コミュニティの意義

この概念と行動がITベンチャーに果たした意義については、本文中で詳しく述べたので、ここでは繰り返さない。また、その具体的形態が将来どのような姿で、『新世界』の中身を肉付けしていくかについてもここでは触れないでおく。その姿については各方面からする多くの論述がなされており、また将来の姿が見通せないことも手伝っている。

ここで強調しておきたいのは、この概念（コミュニティ、共同体、共同態、コモンズ）の持つ多様性とそれらが表す理論的骨子を明確にしておかないと、いたずらに議論を混乱させてしまう恐れがある、という事である。

(a) 本書の論旨は、ジョン・Hの創造になる〝Community〟は、旧来であれば或いは大企業であれば一体であった、設計・開発／製造／販売・流通という付加価値体系が独立企業形態をとって分化した後においても、それら企業間の連携を密にして、そこから生じた付加価値の分配の最適化を図ろう、という論理構造を持ったものであった。この構造原理を理解しない開発企業や独占プラットフォーマーには、社会的公正を欠く場合が多い。

(b) 斎藤幸平は近著で後期マルクスの『ベラ・ザサーリチへの手紙』を引いて、当時のロシアのミール共同体との比較で西欧中世のマルク共同体に労働や分配の平等を見ているが、これはその昔すでに大塚久雄が述べていたものである。現在の市場経済を捨象してこれを今日の理想の姿に擬するのはいささか時代錯誤の感なしとしない。

(c) コモンに近い概念で、宇沢弘文がかつて唱えた、市民の最低限度の福祉を保証するために、全ての経済活動を市場経済に委ねるのではなく、公共経済資本主義と呼ぶべき公共の用に供する活動分野を市場経済の外で運営させる、というものがある。その政策的実現の待たれる所である。

(d)

コモン(ズ)の概念は、エコロジーの観点から生じており、自然循環のために営利経済に使用されてはならない分野、例えば、森林、河川、湖、海洋、入会地、を循環再生産できる運営をすべきである、というもので、社会全体、否、地球規模での循環型再生産の実現を目指すものである。地球温暖化対策もこの概念に含まれる。

SWCの唱えた付加価値体系内での分配の最適化、と言う概念は、ベンチャーという企業活動の過程で実現された事例であるが、今日この概念に公共財や自然循環なども取り込んで、明日のコミュニテイの構築を探っていくことが求められている。これを実現するためには、大規模な政府・企業・官僚機構、遠隔地交易によるのではなくその際に肝賢なことは、生産・流通・消費をITを最大限活用して、地産地消を指向して、地域と異業種をネットワークで結んで、地域再生産型の共同体を作り出して、それらをネットワークで繋いでフレクシブルな国民経済構造を創造していくという方向性の志向であろう。

6．〝現代史〟を扱う相剋

次に筆者の頭を悩ませたのは、描写の対象となった人々や企業との距離の取り方であった。文中で述べたように、対象となった人々の多くはすでに鬼籍に入っておられるが、かなりの人々と、とりわけ企業のほとんどは今日も持続・発展を遂げつつある。とりわけ困難であったのは、自らも身を置いて経営の任に当たったVBと、幹部として一時期を過ごしたVCの記述は、記述対象との距離の置き方と同時に、視点の置き方についてであった。「回顧録」として、自らを主体とする、「自叙伝」なのか、その視点も含めた上で客観的評価の判断も伴う、「客観的歴史の書」という著者の立ち位置に関する判別の問題である。本書がその何れに属するものなのかは、読者の判断に委ねる外ない。

本書の記述はあくまで、活動の日々から四半世紀を遡った、1990年～2005年の15年間に的を絞った、いわば悠久の歴史を輪切りにした時代描写であり、評価であることを念頭に置いてお読み頂きたい。上記のような記述の微妙さから生じるかもしれない、あらぬ被害が描写の対象に及ばぬよう、厳しい評価の対象者は極力実名を伏せる気配りを怠らなかった積りである。また、評価の客観性を担保するため、当初の想定をはるかに超える数の関連資料に目を通すことになった。

7．経営分析資料としてのCash Flowの重視

多くの読者はすでにお気づきの事と思うが、本書の経営資料に関する記述には通常とは異なる判断基準に重点が置かれていることをお断りしておかなければならない。先ず、用いられている経営数字は公認会計士の監査以前の、非公式なものでいわば概略数字、あるいは筆者の記憶違いが含まれている可能性のあるものであること。それでも大勢においてて当を得ており、経営の傾向を判断するには信頼に値するものであるといえよう。

次に一般の財務分析と根本的に異なるのは、本書では財務諸表の3点セットの中、貸借対照表（B／S）よりも損益計算書（P／L）、さらに重要な指標としてCash Flowに重点を置いて扱っている事である。

その理由は言わずもがな、VBの経営は基本的に短期志向であり、使用可能資金のほとんどはVCから提供されたものに限られており、定常経営から得られた利益の蓄積は事業継続の経営資源としては頼るに足りないからである。だからこそ、ラズナの

ケースでも記したようにＣＥＯの定常経営に次いで大切な基本的な役割は、ＶＣからの第二、第三段階の資本の募集であることを記しておく。

8．筆者の抱くクボタへの〝情念〟と客観的視座

〈はじめに〉で筆者に、本書をビジネススクールでのサイドリーダーに仕立てるよう助言してくれた先輩から、初稿を閲覧の後に〝クボタに関する記述は、「事例研究」の域を超えているので、除去した方が良いのではないか？〟との助言を頂戴したが、敢えて、記述内容を充実させて豊富にして、記述法に配慮を重ね、客観性に留意の上で記載を留め置いた。

その理由は、同社の存在は本書の主題たるベンチャー事業（ＶＢ）の背後に在って資本面から支えたＶＣとして、同時に幾つかのＶＢにあっては陰に陽にその実質経営主体として行動した、いわば「蔭の主役」であった訳であるから、その記述と評価なしには「事例研究」そのものが、〝画竜点睛を欠く〟ものになってしまう恐れがあったからである。

今一つの理由は、筆者のこの企業に対する拭い去り難い「執着の心情」である。それ

は確かに「理性」を超える、「終身奉じた身」としての「心情」に属する領域に映る。しかし社会思想や宗教社会学の依って立つ基盤がそうであるように、〝経営学にあっても創業者の思想や性向など主観的なものがその上部構造を成していて、事業展開の過程で織りなす下部構造としての資本家、経営者、労働組合をめぐる歴史展開、そこから形成された集団としての教訓（これを社風と呼ぶ向きも有る）が経営行動に与える影響には格別のものがあり、それも客観的な評価の対象となり、学理の一部を成すを形成し得る〟、というのが筆者の視座なのである。

「心情」の面を吐露すれば、そもそも筆者のこの会社への入社に遡る。大学卒業後に将来を迷っていた筆者にこの会社への就職を薦めてくれたのは、母の依頼に応じた若き日の仲良し従妹（その夫とは又従兄）の関係にある宰相夫人であった。大叔母の見る所、禁欲的努力で人生を自力で切り開いてSocial Ladderを確実に上昇していく10歳年上の兄に比し、人生の肝心の所での勝負に弱いひ弱な末弟の本性を慮っての就職先の選択であった。クボタの社長一族とは同じ郷里の出で、政財界のトップ同士で何かと強い紐帯があったのであろう。従って入社から暫くの間は、筆者自身経営者一族に連なる者との意識があった。筆者のクボタ生活は振出しの8年間と仕上げの3年間を大阪で過ごし、ニューヨークで6年残りの期間が東京をベースに海外のプロジェクトや水道管の輸出業務に関わって過ごした。結婚式は玉造で挙げたが、この地は奇しくも大伯父が入省後皮膚の奇病を長期間患った後、治癒して復職して当地の税務署長として赴任し、新婚時代を過ごした地でもあった。帰郷して療養中の大伯父を看病したのが、親戚の医者の娘時代の大叔母であった。大伯父はそれまで不遇をかこっていたが、敗戦直後の日本の体制の大転換の波に乗って、宰相に迄上り詰め国民経済を経済の高度成長に導くことになる。縁は実に異なるものである。

そんな縁は長い社員生活の中で権力の交代と共に消え去るものであるが、長い時代を経た後筆者は本書が対象とする時期に本社社長就任方針発表のスピーチ原稿の執筆を命じられたため、社史をくまなく渉猟し、創業者の出身地である広島県は因島の出自たる大出家を訪ねて、その案内によって墓地、神社、銅像さらには残存する数少ない資料収集に接する機会を得た。

また〝地下水脈〟時代に、世界銀行を訪問した際に大阪出身の貸付責任職員(LoanOfficer)からの話として、〝幼少の頃創業者の晩年に丘の上に在った今は無き帝塚山の豪邸で接し、辺りが久保田坂と呼ばれていた〟ことを伺ったこともある。文中では創業家と後継経営者との〝隠された闘争〟の可能性も示唆しているが、悠久の社史の原点として、創業家の事跡は歴史遺産としてより明確に留め置くべきではないだろうか？　阪神地区や故郷因島に今なお残る、久保田家やそのゆかりの歴史的事跡が会社に保存されていないのは、残念と言う外ない。筆者がかつて比較を試みた同時代発祥のトヨタが創業者の生家屋や事跡（米国のフォード記念館に擬した、トヨタ産業技術記念館など）の同社の姿勢に比すれば、なおさらその感を禁じ得ない。

9. 自然科学と創造神話の緊張関係

本書は、ジャンルとしては「経営学」に属すると思われるが、執筆の過程で事業経営の主体、さらにはこれを育んできた業界の実態の背後に、社会経済学はもとより宗教社会学、科学・技術さらにはそれをも大きく包摂する神学論を避けては、事業の核心には迫れないことを強く自覚させられた。

初稿の段階でプラント事業の技術者としての豊富な経験に加えて、社会運動・執筆家としても知られる先輩に講評を依頼したところ、多くの点で詰めの甘さを指摘されたが、とりわけ科学技術と創造主の関係の記述に関しては、〝生兵法は怪我の元〟と、一刀両断された。

しかしながら、企業人として日々の事業に従事しながら、その背後にある社会経済的背景と利害状況、それらをさらに大きく包む歴史・文化・宗教の広範な教養に関する知見を、事業経営の現場に在って思索し、真理を探究する実業の世界と価値の世界の間に生じる「緊張関係」を保ち続ける生の姿勢は決して失ってはいけない、「近代的市民」の倫理ではないかと信じている。欧米市民社会を支えるに当たっては〝偉大なる素人〟と呼ばれる人々がいる。決してその領域の専門家ではないが、広範な領域に関する深い造詣があり、時に専門家以上の見識を披歴するような人々である。ロンドンの古い書店では昼休み時に若人がじっくりと古典を読む姿が見られるが、彼らの多くは学者ではなく、ごく普通の商店街の店員だったりサラリーマンだったりする。筆者もニューヨークで似たような経験をしたことがある。演奏会の前にリンカーンセンターの書店で時間を過ごしていたら、タキシードを身にまとって熱心に楽譜を眺めている若者がいたので、彼が去ったあと〝彼は今夕演奏するプレーヤーなのか？〟と尋ねたら、〝彼は近くのレストランのウェイターだよ〟とのことであった。

学門の世界に在っても、わが師中村勝己教授から聞いた話だが、ある歴史学の大家の論旨があちこちにぶれるので弟子たちが戸惑いを見せたところ、〝私の学問は壮大な無駄話の集積なんだよ〟と喝破されたという。〝対象とする学問に関連して、あるいはその周辺に鬱蒼と茂った学問領域が集って壮大な体系を成す〟のが本当の学問である〟、と説いておられるのであろう。以って銘すべし、である。

10. 専門的知見からする歴史事象に関する価値判断

さはさりながら、本書では例えば〝コミュニティ〟の社会経済史的歴史と意義、流通過程で生じる付加価値に関する「価値論」（価値創造の源泉）に関する経済学からする解釈など、経営学からのみの解釈では包摂的な解が得られないのではないかという幾つかの理念やConcept に関しては、隣接領域からする問題提起をしているが、その解は文中で明らかにはしていない。その理由は、筆者がそのいずれの領域においても専門家としての知的訓練も受けておらず、知見にも欠けることに加えて、私見としての解を控えるという、かつてM・ウェーバーが諌めた〝講壇から価値を唱えるべからず〟という禁欲を貫く信条に従ったからである。

筆者の見解の由来する点にご興味がお有りの向きは、巻末の参考文献目録からご推測頂きたい。さらに筆者の個人的立ち位置を表すものとして、実業の傍ら関わって来た、講演、執筆の記録も併せて下記に記しておくのでご参照頂きたい。

最後に執筆の当初の意図:「刎頸の友」ビックとの約束はこれにて果たせたのであろうか?

彼が本書を読んだら、

〝俺は、自分流に当時の業界の流儀に従って、時代の流れを掴みながら事業展開したに過ぎない。それが業界や周辺の技術が大発展する時代に遭遇する時代の幸運に恵まれて、望外の成功を収めただけなのに、あたかも初めから〝Way to Success〟を予知して万策を意図的に用意したように記述してあるのは、少々褒めすぎではないか? それに俺はユダヤ系だが、あまり宗教色を出すのは嫌いだし(〝Reformed〟)、それは俺の流儀ではないなー〟などという声が、天から聞こえてきそうな感じがする。

それはその通りかもしれない。しかし筆者は敢えて言いたい。彼は世俗的(Secular)を装いながら、心根の底で無意識に何者か(Something)を体現していたのだ。だからこそあれだけ多くの人が彼を慕って集まり、偉大な業績を果たし得たのだと。

こうして安易に始め、仕事の合間に延々と書き綴った我がエッセイもやっと終焉にたどり着くことができた。

仕事のあいまを縫っては書下ろしを綴って行くうちに、当初の目論見をはるかに上回る手間と時間を費やしてしまう所となり、遂に３００ページを超える長文となってしまった。その完成に当たっては、第一に本書に登場する全ての方々の存在があってのことであり、改めて謝意を表したい。

とりわけ筆者がニューヨーク駐在を始めて以来、米国での暮らし方万般に至るまで家族全員がお世話になり、とりわけＳＷＣの再販権取得に際しては決定的なご助力を頂いた、元日本航空機製造営業課長の故伊藤健之助様とご家族には感謝してもし切れぬ程のご芳情に甘えさせて頂いた。また、日本のＩＴ業界の道を身を以て開拓され、成功をおさめられた大先輩の日本ラッド会長の大塚隆一様、役員の隆之様からは、同業からするおほめのご評価を頂戴した。報道関係からは日刊工業新聞の宇田川勝隆出版局長、元朝日新聞記者荒田茂夫様より、文章の編集、表現法に至るまで丁寧なるご指導を頂いた。そして、宗教社会学分野で突出した業績を上げておられる、同志社大学今関恒夫名誉教授、東北大学元法学部長柳父圀近名誉教授からは、ＩＴ事業の営みを業界人の想いが至らぬ近代社会へ寄与する意義についてご指摘いただだいた。そして、筆者同様長年実業界に身を置いた人生を送られた先達である、筒井哲郎様、柳生俊朗様、調俊彦様には、筆者への共感と共に異文化領域の扱いについて厳しい助言も頂戴した。月面到着の宇宙飛行士と詩編に関する、筆者の遠い昔の記憶を辿って史実に至る労を共に担って頂いた、基督教独立学園高校元教諭、土屋真穂様にも謝意を表したい。かつての身内ゆえ末尾となってしまったが、36年間身を置いたクボタでは無知で謙虚さを欠く筆者であったにもかかわらず、上司・先輩・同僚諸兄の温情溢れる指導や支援に恵まれて曲がりなりにも任務を全うでき、感謝は尽きない。皆様に謝意を捧げたいが、紙面の制約上今や天に在るお二方の恩人に絞り謝意を表したい。

先ずは入社後歳浅い日に、企業人としての基本を身を以て授かった増田坦資材部長に感謝を捧げたい。近代資本主義の本質とその組織・経営の在り方、とりわけその倫理的実践の基本をその出自たる海軍、三菱財閥のPrincipleをベースにご教示頂いた。父君が高名な建築家で西欧への留学経験の故か、民主主義の精神が背骨にあることが感じられた。俗世に在って若き日にかかる高邁な人格に接したことは限りない幸せであったと同時に、後日かの人格に比肩できる人物に出会わなかった不幸も甘受せざるを得ない寂寥も味わう事となった。（父君についてはＮＨＫでの番組、阿川弘之・佐和子の〝ファミリーヒストリー〟に登場）氏は晩年筆者が幹事の中村クライス（慶応大学中村勝巳名誉教授を中心とする、学者と企業人からなる現実視点からする社会科学勉強会）に希望して入会された。学徒動員による任官少尉から企業人として歩んだ自らの人生の意味付け（Identity）を中村教授に求めて、その確認を期されたのであろう。

今一人は筆者のニューヨーク駐在時代に高炉メーカーや石油メジャーなどにアテンドして以来、コンピュータ関連事業の上司として常に筆者を庇護、支援頂いた橋本和治常務取締役である。経営のみならず筆者の宗教社会科学の研究にも理解を示され、西欧精神を共有できた稀な関係の上司でもあった。両氏には深く感謝して、心からなる冥福を祈りたい。

これらの方々による愛情に満ちたご助言、励ましなしには本書の記述の論理的構成と正当な資料評価の達成はおぼつかなかったことは、筆者自身が最も自覚している所である。本書の内容をＩＴ分野に止まらずこれを支える隣接文化領域にも足を延ばして豊かな内容へと導いて頂いた皆様に、深甚なる謝意をここに捧げたい。

最後となってしまったが、つたなくも乱雑な内容と構成の文章に加え幾度も〳〵書き換えに及んだ原稿をこのような書籍にまで高めるまでにご指導を頂き編集作業に日夜勤しんで下さった、三省堂書店とりわけ編集部の高橋淳様、山口葉子様には、筆舌に尽くせぬ感謝の意を捧げたい。

〈了〉

筆者の〈発言・執筆・論文〉

〈読書会レポート分担〉

「坂井基始良著作集を読む会」編　『いかに生きるべきか』

あるジャーナリスト・坂井基始郎の信仰　キリスト教出版社　1996

〈講演会〉

大塚久雄記念講演会　於：明治大学　『企業人から見た大塚史学』

田村光三編『大塚久雄』キリスト者・社会科学者　シャローム図書　1997

矢内原忠雄35周年記念キリスト教講演と感話の記録　感話　1997

〈論文集　編集・執筆〉

『発展途上国、貧困再生産の構造』

中南米のインフォーマル・セクター形成とその原因を探る事例研究

中村勝巳研究会出版刊行会『オフィスと道標』所収　1998

〈書評〉

中村勝巳研究会　『オフィスと道標』

高木謙次編　『内村鑑三流域』（1）　眞奈書房　2000

中村先生追悼集刊行会　『学問・教育・信仰』　2015

『告別　中村勝巳先生――「偲ぶ会」司式の辞――』

藤田「聞き取り」刊行会　『藤田若雄没後40年記念文集』　2017

『藤田「先生」と三島甫「様」』

季刊誌　『季刊無教会』（編集委員）　執筆記事

＃1　戦後日本農業と農村の変化　2005

＃3　新たなる貧困グローバリズムと帝国の狭間で

＃5　書評　中村勝巳著　『現代とはどういう時代か』

＃7　読書ノート（戦後版）『嘉信』　2006

＃11　『木次歴史紀行』（序）『独立自営農民』の郷　2007

次項以降のメールは、ソリッドワークスの創業者・CEOジョン・ハーシュティックと2代目CEO、ジョン・マッケレニーの呼びかけに応じて2020年10月13日に行われたソリッドワークス有志によるZoomミーティングの前後に筆者と両名の間で交わされたe-メールの記録である（他の参加者にもコピーが落ちている）。この交信録からも、本誌のタイトルの意味するところが覗える。

Sent: Thursday, October 8, 2020 5:11 PM
To: Hirschtick, Jon; McEleney, Johnny Mac>; Elliot Katzman, Dunne, Joe ; Corcoran, Dave >; Sullivan, Carrie, ; Stott, Dave ; Oded Leventer,; Katzman, David ; Matthew Katzman ; David Skok <; Axel Bichara ; DE TERSANT Thibault <; Ted Huber < Cc: Tim Preston >; Paul Rudin; ADAMS Paul; 森田勉
Subject: Celebration of Vic's Life for his CAD Industry Friends
When: Tuesday, October 13, 2020 5:00 PM-6:00 PM.
Where: Zoom

In celebration of Vic's life, please join us for a video gathering of his CAD industry friends.

Let's all bring a nice wine and share memories of our good friend.

Feel free to forward this invitation to anyone you think should be there.

Join Zoom Meeting

<Unquote>

occasion.
I wish all members today remaining earth live long with true friendship that Vic left us out of his integrity.
All the best
P.S.
Attached photo is the one quarter century back, in celebration of the launch of First version of SolidWorks, December 1995.
I put a box under my feet in order to equalize my height, 10 inches shorter than Vic!
Yozo Seo
President & CEO
Myrtos Corporation
From: Sullivan, Carrie >
Sent: Wednesday, October 14, 2020 8:59 PM
To: Hirschtick, Jon ; McEleney, Johnny Mac ; Elliot Katzman ; Dunne, Joe ; Corcoran, Dave < Stott, Dave ; Oded Leventer ; Morgan, James ; Katzman, David <; Matthew Katzman>; David

Skok ; Axel Bichara; DE TERSANT Thibault <; Ted Huber < Cc: Tim Preston ; Paul Rudin ; ADAMS Pau>; 森田勉 ;
Subject: Re: Celebration of Vic's Life for his CAD Industry Friends

Thank you, Jon and John, for putting this together. It was nice to see so many on the call, especially Diane and their daughters. I thought I would pass along photos of who was on the call. SolidWorks was a special place to work, one that Vic helped mold into what it was.

I hope you are all doing well.

Enjoy,

Carrie

From: Hirschtick, Jon

〈Quote〉
Mr. Seo, Thank you for joining the call. It really was wonderful to see everyone. In a world that is consumed by negativity, Vic a force of positive energy and he will be missed. He was a business partner, a legend in the industry, but, more importantly he was family.
Mr. Seo, Vic had tremendous respect for you and great appreciation for how you led our efforts to make SolidWorks the standard in Japan. While the results were great, the journey (together) was even better. Thank you.

Johnny Mac

From: “seo@myrtos.jp”
Date: Thursday, October 15, 2020 at 2:28 AM
To: “Sullivan, Carrie” , “Hirschtick, Jon” , “McEleney, Johnny Mac” <, ‘Elliot Katzman’ , “Dunne, Joe”, “Corcoran, Dave” , <, “Stott, Dave” , ‘Oded Leventer’ , “Morgan, James” “Katzman, David” ‘Matthew Katzman’, ‘David Skok’ <, ‘Axel Bichara’ ‘DE TERSANT Thibault’ ‘Ted Huber’ Cc: ‘Tim Preston’ , ‘Paul Rudin’ , ‘ADAMS Paul’ , ‘森田勉
上記からメールアドレスおよびメールアドレスのみの参加者は削除されている。

Subject: RE: Celebration of Vic’s Life for his CAD Industry Friends
External email from: seo

世界の親友達による“ビックを偲ぶリモート会”

Dear Jon and John

I thank you so much Jon and John for giving us all a chance to get together in memory of our most valuable friend Vic Leventhal.

Reunion of colleagues of early days of SolidWorks through internet though, made us happy as we share good memory of Vic who still lives in every individual's heart that must have reached Vic now in heaven.

Best thing in our meeting was to realize Diane and Nicole, Ashley and spouse looks in good shape right after such sad experience, admitting deep sorrow could not been removed so soon.

Thank you again Jon for flattering me more my achievement for SWJ and sorry for missing gratitude for your kind comment.

As Jon mentioned as closing message for us we hope we communicate with each other within this marvelous "Community" not for sad, but cheery

妹尾 陽三

略歴

1943年　広島県出身
1962年　修道高等学校卒業
1967年　慶応義塾大学　経済学部西洋経済史専攻(BS)卒業
　　　　久保田鉄工(株)(現クボタ)入社。 本社資材部等勤務
1976年　同社ニューヨーク事務所勤務。 クボタアメリカ設立、副社長
1982年　クボタ　海外企画部(兼)事業開発室勤務。 水道ODAプロジェクト開発
1989年　ベンチャー合弁ラズナ(株)(後のクボタソリッドテクノロジー=クスコ)社長
1995年　上記兼務のままソリッドワークスジャパン(株)社長、社外取締役
2000年　クボタシステム開発(KSI)社長
2003年　トヨタケーラム特別顧問、アンペール監査役など。
　　　　ミルトス(株)設立、社長就任。 欧米のIT商品の再販事業を展開し今日に至る。

取扱商品

Data交換ソフト:CADNexus、3D Evolution、3D マウス 3Dconnecxion
デジタル計測ソフト:Dot3D, DPI
web VRシステムiQ3Dconnect

上記の間、産学参加の社会科学勉強会「中村クライス」の事務取扱、論文著述、編集、講演

ITベンチャーが創造する新世界
ソリッドワークスの初期
日本における成功への軌跡

2023年1月16日　初版発行

著者
妹尾 陽三

発行・発売
株式会社 三省堂書店／創英社

〒101-0051　東京都千代田区神田神保町 1-1
Tel：03-3291-2295　Fax：03-3292-7687

印刷・製本／株式会社 ウイル・コーポレーション

ISBN978-4-87923-170-3 C0034